Arthur Schnitzler
Reigen

Arthur Schnitzler

Reigen

Komödie in zehn Dialogen

Anaconda

Schnitzlers Komödie *Reigen*, entstanden 1896/97, erschien zuerst
1900 als Privatdruck und 1903 als Buchausgabe im Wiener Verlag,
Wien, Leipzig. Die Uraufführung des gesamten Zyklus erfolgte
erstmals am 23.12.1920 im Kleinen Schauspielhaus in Berlin. Der
vorliegende Text folgt der Ausgabe *Die dramatischen Werke*. Band 1.
Frankfurt/M.: S. Fischer Verlag 1962. Der Text wurde unter
Wahrung des Lautstandes, der Interpunktion sowie sprachlich-
stilistischer Eigenheiten der neuen deutschen Rechtschreibung
angepasst.

Die Deutsche Nationalbibliothek verzeichnet diese Publikation in
der Deutschen Nationalbibliografie; detaillierte bibliografische
Daten sind im Internet unter http://dnb.d-nb.de abrufbar.

© 2008 Anaconda Verlag GmbH, Köln
Alle Rechte vorbehalten.
Umschlagmotiv: Otto Müller (1874–1930), »Liebespaar«,
Museum der Bildenden Künste, Leipzig, Foto: akg-images
Umschlaggestaltung: agilmedien, Köln
Satz und Layout: GEM mbH, Ratingen
Printed in Czech Republic 2008
ISBN 978-3-86647-308-9
info@anaconda-verlag.de

Inhalt

Komödie in zehn Dialogen

DIE PERSONEN

Die Dirne

Der Soldat

Das Stubenmädchen

Der junge Herr

Die junge Frau

Der Ehegatte

Das süße Mädel

Der Dichter

Die Schauspielerin

Der Graf

Die Dirne und der Soldat

Spät abends. An der Augartenbrücke.

SOLDAT *kommt pfeifend, will nach Hause.*

DIRNE Komm, mein schöner Engel.

5   SOLDAT *wendet sich um und geht wieder weiter.*

DIRNE Willst du nicht mit mir kommen?

SOLDAT Ah, ich bin der schöne Engel?

DIRNE Freilich, wer denn? Geh, komm zu mir. Ich wohn'
gleich in der Näh'.

10   SOLDAT Ich hab' keine Zeit. Ich muss in die Kasern'!

DIRNE In die Kasern' kommst immer noch zurecht. Bei
mir is besser.

SOLDAT *ihr nahe* Das ist schon möglich.

DIRNE Pst. Jeden Moment kann ein Wachmann kommen.

15   SOLDAT Lächerlich! Wachmann! Ich hab' auch mein Sei-
teng'wehr!

DIRNE Geh, komm mit.

SOLDAT Lass mich in Ruh'. Geld hab' ich eh keins.

DIRNE Ich brauch' kein Geld.

20   SOLDAT *bleibt stehen. Sie sind bei einer Laterne*
Du brauchst kein Geld? Wer bist denn du nachher?

DIRNE Zahlen tun mir die Zivilisten. So einer wie du
kann's immer umsonst bei mir haben.

SOLDAT Du bist am End' die, von der mir der Huber er-

25   zählt hat. –

DIRNE Ich kenn' kein' Huber nicht.

SOLDAT Du wirst schon die sein. Weißt – in dem Kaffeehaus in der Schiffgassen – von dort ist er mit dir z' Haus
'gangen.

30   DIRNE Von dem Kaffeehaus bin ich schon mit gar vielen
z' Haus 'gangen … oh! oh! –

SOLDAT Also gehn wir, gehn wir.

DIRNE Was, jetzt hast's eilig?

SOLDAT Na, worauf soll'n wir noch warten? Und um zehn muss ich in der Kasern' sein.

DIRNE Wie lang dienst denn schon? 5

SOLDAT Was geht denn das dich an? Wohnst weit?

DIRNE Zehn Minuten zum gehn.

SOLDAT Das ist mir zu weit. Gib mir ein Pussel.

DIRNE *küsst ihn* Das ist mir eh das liebste, wenn ich einen gernhab'! 10

SOLDAT Mir nicht. Nein, ich geh' nicht mit dir, es ist mir zu weit.

DIRNE Weißt was, komm morgen am Nachmittag.

SOLDAT Gut is. Gib mir deine Adresse.

DIRNE Aber du kommst am End' nicht. 15

SOLDAT Wenn ich dir's sag'!

DIRNE Du, weißt was – wenn's dir zu weit ist heut Abend zu mir – da ... da ... *Weist auf die Donau.*

SOLDAT Was ist das?

DIRNE Da ist auch schön ruhig ... jetzt kommt kein 20 Mensch.

SOLDAT Ah, das ist nicht das Rechte.

DIRNE Bei mir is immer das Rechte. Geh, bleib jetzt bei mir. Wer weiß, ob wir morgen noch 's Leben haben.

SOLDAT So komm – aber g'schwind! 25

DIRNE Gib Obacht, da ist so dunkel. Wennst ausrutschst, liegst in der Donau.

SOLDAT Wär' eh das Beste.

DIRNE Pst, so wart nur ein bissel. Gleich kommen wir zu einer Bank. 30

SOLDAT Kennst dich da gut aus.

DIRNE So einen wie dich möcht' ich zum Geliebten.

SOLDAT Ich tät' dir zu viel eifern.

DIRNE Das möcht' ich dir schon abgewöhnen.

SOLDAT Ha –

DIRNE Nicht so laut. Manchmal is doch, dass sich ein Wäch-
ter her verirrt. Sollt man glauben, dass wir da mitten in
5   der Wienerstadt sind?

SOLDAT Daher komm, daher.

DIRNE Aber was fällt dir denn ein, wenn wir da ausrut-
schen, liegen wir im Wasser unten.

SOLDAT *hat sie gepackt* Ah, du –

10 DIRNE Halt dich nur fest an.

SOLDAT Hab kein' Angst …

— — —   — — —   — — —   — — —   — — —   — — —   — — —   — — —   — — —

DIRNE Auf der Bank wär's schon besser gewesen.

SOLDAT Da oder da … Na, krall aufi.

DIRNE Was laufst denn so –

15 SOLDAT Ich muss in die Kasern', ich komm' eh schon zu spät.

DIRNE Geh, du, wie heißt denn?

SOLDAT Was interessiert dich denn das, wie ich heiß'?

DIRNE Ich heiß' Leocadia.

SOLDAT Ha! – So an' Namen hab' ich auch noch nie gehört.

20 DIRNE Du!

SOLDAT Na, was willst denn?

DIRNE Geh, ein Sechserl für'n Hausmeister gib mir wenigstens! –

SOLDAT Ha! … Glaubst, ich bin deine Wurzen … Servus!
25   Leocadia …

DIRNE Strizzi! Fallott! –

Er ist verschwunden.

DER SOLDAT UND DAS STUBENMÄDCHEN

Prater. Sonntagabend. – Ein Weg, der vom Wurstelprater
aus in die dunklen Alleen führt. Hier hört man noch die wirre
Musik aus dem Wurstelprater; auch die Klänge vom Fünf-
kreuzertanz, eine ordinäre Polka, von Bläsern gespielt. –   5
Der Soldat. Das Stubenmädchen.

STUBENMÄDCHEN Jetzt sagen S' mir aber, warum S'
    durchaus schon haben fortgehen müssen.
SOLDAT *lacht verlegen, dumm.*
STUBENMÄDCHEN Es ist doch so schön gewesen. Ich tanz'   10
    so gern.
SOLDAT *fasst sie um die Taille.*
STUBENMÄDCHEN *lässt's geschehen* Jetzt tanzen wir ja nim-
    mer. Warum halten S' mich so fest?
SOLDAT Wie heißen S'? Kathi?   15
STUBENMÄDCHEN Ihnen ist immer eine Kathi im Kopf.
SOLDAT Ich weiß, ich weiß schon … Marie.
STUBENMÄDCHEN Sie, da ist aber dunkel. Ich krieg' so
    eine Angst.
SOLDAT Wenn ich bei Ihnen bin, brauchen S' Ihnen nicht   20
    zu fürchten. Gott sei Dank, mir sein mir!
STUBENMÄDCHEN Aber wohin kommen wir denn da? Da
    ist ja kein Mensch mehr. Kommen S', gehn wir zu-
    rück! – Und so dunkel!
SOLDAT *zieht an seiner Virginierzigarre, dass das rote Ende*   25
    leuchtet 's wird schon lichter! Haha! Oh, du Schatzerl!
STUBENMÄDCHEN Ah, was machen S' denn? Wenn ich das
    gewusst hätt'!
SOLDAT Also der Teufel soll mich holen, wenn eine heut beim
    Swoboda mollerter gewesen ist als Sie, Fräul'n Marie.   30
STUBENMÄDCHEN Haben S' denn bei allen so probiert?

SOLDAT Was man so merkt, beim Tanzen. Da merkt man
gar viel! Ha!

STUBENMÄDCHEN Aber mit der blonden mit dem schiefen
Gesicht haben S' doch mehr 'tanzt als mit mir.

5 SOLDAT Das ist eine alte Bekannte von einem meinigen
Freund.

STUBENMÄDCHEN Von dem Korporal mit dem aufdrehten
Schnurrbart?

SOLDAT Ah nein, das ist der Zivilist gewesen, wissen S',
10 der im Anfang am Tisch mit mir g'sessen ist, der so
heis'rig red't.

STUBENMÄDCHEN Ah, ich weiß schon. Das ist ein kecker
Mensch.

SOLDAT Hat er Ihnen was 'tan? Dem möcht' ich's zeigen!
15 Was hat er Ihnen 'tan?

STUBENMÄDCHEN O nichts – ich hab nur gesehn, wie er
mit die andern ist.

SOLDAT Sagen S', Fräulein Marie …

STUBENMÄDCHEN Sie werden mich verbrennen mit Ihrer
20 Zigarrn.

SOLDAT Pahdon! – Fräul'n Marie. Sagen wir uns Du.

STUBENMÄDCHEN Wir sein noch nicht so gute Bekannte. –

SOLDAT Es können sich gar viele nicht leiden und sagen
doch Du zueinander.

25 STUBENMÄDCHEN 's nächste Mal, wenn wir … Aber, Herr
Franz –

SOLDAT Sie haben sich meinen Namen g'merkt?

STUBENMÄDCHEN Aber, Herr Franz …

SOLDAT Sagen S' Franz, Fräulein Marie.

30 STUBENMÄDCHEN So sein S' nicht so keck – aber pst,
wenn wer kommen tät!

SOLDAT Und wenn schon einer kommen tät, man sieht ja
nicht zwei Schritt weit.

STUBENMÄDCHEN Aber um Gottes willen, wohin kommen
    wir denn da?

SOLDAT Sehn S', da sind zwei grad wie mir.

STUBENMÄDCHEN Wo denn? Ich seh' gar nichts.

SOLDAT Da … vor uns. 5

STUBENMÄDCHEN Warum sagen S' denn: zwei wie mir? –

SOLDAT Na, ich mein' halt, die haben sich auch gern.

STUBENMÄDCHEN Aber geben S' doch acht, was ist denn
    da, jetzt wär' ich beinah g'fallen.

SOLDAT Ah, das ist das Gatter von der Wiesen. 10

STUBENMÄDCHEN Stoßen S' doch nicht so, ich fall' ja um.

SOLDAT Pst, nicht so laut.

STUBENMÄDCHEN Sie, jetzt schrei' ich aber wirklich. –
    Aber was machen S' denn … aber –

SOLDAT Da ist jetzt weit und breit keine Seel'. 15

STUBENMÄDCHEN So gehn wir zurück, wo Leut' sein.

SOLDAT Wir brauchen keine Leut', was, Marie, wir brau-
    chen … dazu … haha.

STUBENMÄDCHEN Aber, Herr Franz, bitt' Sie, um Gottes
    willen, schaun S', wenn ich das … gewusst … oh … 20
    oh … komm!

––– ––– ––– ––– ––– ––– ––– ––– –––

SOLDAT *selig* Herrgott noch einmal … ah …

STUBENMÄDCHEN … Ich kann dein G'sicht gar nicht sehn.

SOLDAT A was – G'sicht …

––– ––– ––– ––– ––– ––– ––– ––– –––

SOLDAT Ja, Sie, Fräul'n Marie, da im Gras können S' nicht 25
    liegen bleiben.

STUBENMÄDCHEN Geh, Franz, hilf mir.

SOLDAT Na, komm zugi.

STUBENMÄDCHEN O Gott, Franz.

SOLDAT Na ja, was ist denn mit dem Franz?

STUBENMÄDCHEN Du bist ein schlechter Mensch, Franz.

SOLDAT Ja, ja. Geh, wart ein bissel.

STUBENMÄDCHEN Was lasst mich denn aus?

5 SOLDAT Na, die Virginier werd' ich mir doch anzünden dürfen.

STUBENMÄDCHEN Es ist so dunkel.

SOLDAT Morgen früh ist schon wieder licht.

STUBENMÄDCHEN Sag wenigstens, hast mich gern?

10 SOLDAT Na, das musst doch g'spürt haben, Fräul'n Marie, ha!

STUBENMÄDCHEN Wohin gehn wir denn?

SOLDAT Na, zurück.

STUBENMÄDCHEN Geh, bitt' dich, nicht so schnell!

15 SOLDAT Na, was ist denn? Ich geh' nicht gern in der Finstern.

STUBENMÄDCHEN Sag, Franz, hast mich gern?

SOLDAT Aber grad hab' ich's g'sagt, dass ich dich gern hab'!

STUBENMÄDCHEN Geh, willst mir nicht ein Pussel geben?

20 SOLDAT *gnädig* Da … Hörst − jetzt kann man schon wieder die Musik hören.

STUBENMÄDCHEN Du möcht'st am End' gar wieder tanzen gehn?

SOLDAT Na freilich, was denn?

25 STUBENMÄDCHEN Ja, Franz, schau, ich muss zu Haus gehn. Sie werden eh schon schimpfen, mei' Frau ist so eine … die möcht' am liebsten, man ging' gar nicht fort.

SOLDAT Na ja, geh halt zu Haus.

STUBENMÄDCHEN Ich hab' halt 'dacht, Herr Franz, Sie
30 werden mich z' Haus führen.

SOLDAT Z' Haus führen? Ah!

STUBENMÄDCHEN Gehn S', es ist so traurig, allein z' Haus gehn.

SOLDAT Wo wohnen S' denn?

STUBENMÄDCHEN Es ist gar nicht so weit – in der Porzellangasse.

SOLDAT So? Ja, da haben wir ja einen Weg … aber jetzt ist's mir zu früh … jetzt wird noch draht, heute hab' ich über Zeit … Vor zwölf brauch' ich nicht in der Kasern' zu sein. I' geh' noch tanzen.

STUBENMÄDCHEN Freilich, ich weiß schon, jetzt kommt die Blonde mit dem schiefen Gesicht dran!

SOLDAT Ha! – Der ihr G'sicht ist gar nicht so schief.

STUBENMÄDCHEN O Gott, sein die Männer schlecht. Was, Sie machen's sicher mit einer jeden so.

SOLDAT Das wär' z' viel! –

STUBENMÄDCHEN Franz, bitt' schön, heut nimmer, – heut bleiben S' mit mir, schaun S' –

SOLDAT Ja, ja, ist schon gut. Aber tanzen werd' ich doch noch dürfen.

STUBENMÄDCHEN Ich tanz' heut mit kein' mehr!

SOLDAT Da ist er ja schon …

STUBENMÄDCHEN Wer denn?

SOLDAT Der Swoboda! Wie schnell wir wieder da sein. Noch immer spielen s' das … tadarada tadarada *Singt mit* … Also wannst auf mich warten willst, so führ' ich dich z' Haus … wenn nicht … Servus –

STUBENMÄDCHEN Ja, ich werd' warten. *Sie treten in den Tanzsaal ein.*

SOLDAT Wissen S', Fräul'n Marie, ein Glas Bier lassen's Ihnen geben. *Zu einer Blonden sich wendend, die eben mit einem Burschen vorbeitanzt, sehr hochdeutsch* Mein Fräulein, darf ich bitten? –

Das Stubenmädchen und der junge Herr

*Heißer Sommernachmittag. – Die Eltern sind schon auf dem
Lande. – Die Köchin hat Ausgang. – Das Stubenmädchen
schreibt in der Küche einen Brief an den Soldaten, der ihr*
5 *Geliebter ist. Es klingelt aus dem Zimmer des jungen Herrn.
Sie steht auf und geht ins Zimmer des jungen Herrn. – Der
junge Herr liegt auf dem Diwan, raucht und liest einen fran-
zösischen Roman.*

DAS STUBENMÄDCHEN Bitt' schön, junger Herr?
10 DER JUNGE HERR Ah ja, Marie, ah ja, ich hab' geläutet,
ja … was hab' ich nur … ja richtig, die Rouletten lassen S' herunter, Marie … Es ist kühler, wenn die Rouletten unten sind … ja …
DAS STUBENMÄDCHEN *geht zum Fenster und lässt die Rou-*
15 *letten herunter.*
DER JUNGE HERR *liest weiter* Was machen S' denn, Marie?
Ah ja. Jetzt sieht man aber gar nichts zum Lesen.
DAS STUBENMÄDCHEN Der junge Herr ist halt immer so
fleißig.
20 DER JUNGE HERR *überhört das vornehm* So, ist gut. *Marie geht.*
DER JUNGE HERR *versucht weiter zu lesen; lässt bald das Buch
fallen, klingelt wieder.*
DAS STUBENMÄDCHEN *erscheint.*
DER JUNGE HERR Sie, Marie … ja, was ich habe sagen
25 wollen … ja … ist vielleicht ein Cognac zu Haus?
DAS STUBENMÄDCHEN Ja, der wird eingesperrt sein.
DER JUNGE HERR Na, wer hat denn die Schlüssel?
DAS STUBENMÄDCHEN Die Schlüssel hat die Lini.
DER JUNGE HERR Wer ist die Lini?
30 DAS STUBENMÄDCHEN Die Köchin, Herr Alfred.
DER JUNGE HERR Na, so sagen S' es halt der Lini.

DAS STUBENMÄDCHEN Ja, die Lini hat heut Ausgang.

DER JUNGE HERR So ...

DAS STUBENMÄDCHEN Soll ich dem jungen Herrn vielleicht aus dem Kaffeehaus ...

DER JUNGE HERR Ah nein ... es ist so heiß genug. Ich brauch' keinen Cognac. Wissen S', Marie, bringen Sie mir ein Glas Wasser. Pst, Marie – aber laufen lassen, dass es recht kalt ist. –

DAS STUBENMÄDCHEN *ab.*

DER JUNGE HERR *sieht ihr nach, bei der Tür wendet sich das Stubenmädchen nach ihm um; der junge Herr schaut in die Luft. – Das Stubenmädchen dreht den Hahn der Wasserleitung auf, lässt das Wasser laufen. Währenddem geht sie in ihr kleines Kabinett, wäscht sich die Hände, richtet vor dem Spiegel ihre Schneckerln. Dann bringt sie dem jungen Herrn das Glas Wasser. Sie tritt zum Diwan.*

DER JUNGE HERR *richtet sich zur Hälfte auf, das Stubenmädchen gibt ihm das Glas in die Hand, ihre Finger berühren sich.*

DER JUNGE HERR So, danke. – Na, was ist denn? – Geben Sie acht; stellen Sie das Glas wieder auf die Tasse ... *Er legt sich hin und streckt sich aus* Wie spät ist's denn? –

DAS STUBENMÄDCHEN Fünf Uhr, junger Herr.

DER JUNGE HERR So, fünf Uhr. – Ist gut. –

DAS STUBENMÄDCHEN *geht; bei der Tür wendet sie sich um; der junge Herr hat ihr nachgeschaut; sie merkt es und lächelt.*

DER JUNGE HERR *bleibt eine Weile liegen, dann steht er plötzlich auf. Er geht bis zur Tür, wieder zurück, legt sich auf den Diwan. Er versucht wieder zu lesen. Nach ein paar Minuten klingelt er wieder.*

DAS STUBENMÄDCHEN *erscheint mit einem Lächeln, das sie nicht zu verbergen sucht.*

DER JUNGE HERR Sie, Marie, was ich Sie hab' fragen wollen. War heut Vormittag nicht der Doktor Schüller da?

DAS STUBENMÄDCHEN Nein, heut Vormittag war niemand da.

DER JUNGE HERR So, das ist merkwürdig. Also der Doktor Schüller war nicht da? Kennen Sie überhaupt den Doktor Schüller?

DAS STUBENMÄDCHEN Freilich. Das ist der große Herr mit dem schwarzen Vollbart.

DER JUNGE HERR Ja. War er vielleicht doch da?

DAS STUBENMÄDCHEN Nein, es war niemand da, junger Herr.

DER JUNGE HERR *entschlossen* Kommen Sie her, Marie.

DAS STUBENMÄDCHEN *tritt etwas näher* Bitt' schön.

DER JUNGE HERR Näher ... so ... ah ... ich hab' nur geglaubt ...

DAS STUBENMÄDCHEN Was haben der junge Herr?

DER JUNGE HERR Geglaubt ... geglaubt hab' ich – Nur wegen Ihrer Blusen ... Was ist das für eine ... Na, kommen S' nur näher. Ich beiß' Sie ja nicht.

DAS STUBENMÄDCHEN *kommt zu ihm.* Was ist mit meiner Blusen? G'fallt sie dem jungen Herrn nicht?

DER JUNGE HERR *fasst die Bluse an, wobei er das Stubenmädchen zu sich herabzieht* Blau? Das ist ganz ein schönes Blau. *Einfach* Sie sind sehr nett angezogen, Marie.

DAS STUBENMÄDCHEN Aber junger Herr ...

DER JUNGE HERR Na, was ist denn? ... *Er hat ihre Bluse geöffnet. Sachlich* Sie haben eine schöne weiße Haut, Marie.

DAS STUBENMÄDCHEN Der junge Herr tut mir schmeicheln.

DER JUNGE HERR *küsst sie auf die Brust* Das kann doch nicht weh tun.

DAS STUBENMÄDCHEN O nein.

DER JUNGE HERR Weil Sie so seufzen! Warum seufzen Sie denn?

DAS STUBENMÄDCHEN Oh, Herr Alfred ...

DER JUNGE HERR Und was Sie für nette Pantoffeln haben ...

DAS STUBENMÄDCHEN ... Aber ... junger Herr ... wenn's draußen läut' –

DER JUNGE HERR Wer wird denn jetzt läuten? 5

DAS STUBENMÄDCHEN Aber junger Herr ... schaun S' ... es ist so licht ...

DER JUNGE HERR Vor mir brauchen Sie sich nicht zu genieren. Sie brauchen sich überhaupt vor niemandem ... wenn man so·hübsch ist. Ja, meiner Seel'; Marie, Sie 10 sind ... Wissen Sie, Ihre Haare riechen sogar angenehm.

DAS STUBENMÄDCHEN Herr Alfred ...

DER JUNGE HERR Machen Sie keine solchen Geschichten, Marie ... ich hab' Sie schon anders auch geseh'n. Wie ich neulich in der Nacht nach Haus gekommen bin 15 und mir Wasser geholt hab'; da ist die Tür zu Ihrem Zimmer offen gewesen ... na ...

DAS STUBENMÄDCHEN *verbirgt ihr Gesicht* O Gott, aber das hab' ich gar nicht gewusst, dass der Herr Alfred so schlimm sein kann. 20

DER JUNGE HERR Da hab' ich sehr viel gesehen ... das ... und das ... und das ... und –

DAS STUBENMÄDCHEN Aber, Herr Alfred!

DER JUNGE HERR Komm, komm ... daher ... so, ja so ...

DAS STUBENMÄDCHEN Aber wenn jetzt wer läutet – 25

DER JUNGE HERR Jetzt hören Sie schon einmal auf ... macht man höchstens nicht auf ...

— —

Es klingelt.

DER JUNGE HERR Donnerwetter ... Und was der Kerl für einen Lärm macht. – Am End' hat der schon früher ge- 30 läutet, und wir haben's nicht gemerkt.

DAS STUBENMÄDCHEN Oh, ich hab' alleweil aufgepasst.

DER JUNGE HERR Na, so schaun S' endlich nach – durchs Guckerl. –

DAS STUBENMÄDCHEN Herr Alfred ... Sie sind aber ...
5   nein ... so schlimm.

DER JUNGE HERR Bitt' Sie, schaun S' jetzt nach ...

DAS STUBENMÄDCHEN *geht ab.*

DER JUNGE HERR *öffnet rasch die Rouleaux.*

DAS STUBENMÄDCHEN *erscheint wieder.* Der ist jedenfalls
10   schon wieder weggangen. Jetzt ist niemand mehr da.
Vielleicht ist es der Doktor Schüller gewesen.

DER JUNGE HERR *ist unangenehm berührt* Es ist gut.

DAS STUBENMÄDCHEN *nähert sich ihm.*

DER JUNGE HERR *entzieht sich ihr* – Sie, Marie, – ich geh'
15   jetzt ins Kaffeehaus.

DAS STUBENMÄDCHEN *zärtlich* Schon ... Herr Alfred.

DER JUNGE HERR *streng* Ich geh' jetzt ins Kaffeehaus.
Wenn der Doktor Schüller kommen sollte ...

DAS STUBENMÄDCHEN Der kommt heut nimmer.

20   DER JUNGE HERR *noch strenger* Wenn der Doktor Schüller
kommen sollte, ich, ich ... ich bin – im Kaffeehaus. –
Geht ins andere Zimmer.

DAS STUBENMÄDCHEN *nimmt eine Zigarre vom Rauchtisch,
steckt sie ein und geht ab.*

*Abend. – – Ein mit banaler Eleganz möblierter Salon in ei-
nem Hause der Schwindgasse. Der junge Herr ist eben ein-
getreten, zündet, während er noch den Hut auf dem Kopf
und den Überzieher anhat, die Kerzen an. Dann öffnet er* 5
*die Tür zum Nebenzimmer und wirft einen Blick hinein.
Von den Kerzen des Salons geht der Lichtschein über das
Parkett bis zu einem Himmelbett, das an der abschließenden
Wand steht. Von dem Kamin in einer Ecke des Schlafzim-
mers verbreitet sich ein rötlicher Lichtschein auf die Vorhänge* 10
*des Bettes. – Der junge Herr besichtigt auch das Schlafzim-
mer. Vor dem Trumeau nimmt er einen Sprayapparat und
bespritzt die Bettpolster mit feinen Strahlen von Veilchen-
parfüm. Dann geht er mit dem Sprayapparat durch beide
Zimmer und drückt unaufhörlich auf den kleinen Ballon, so-* 15
*dass es bald überall nach Veilchen riecht. Dann legt er Über-
zieher und Hut ab. Er setzt sich auf den blausamtenen Fauteuil, zündet sich eine Zigarette an und raucht. Nach einer
kleinen Weile erhebt er sich wieder und vergewissert sich,
dass die grünen Jalousien geschlossen sind. Plötzlich geht er* 20
*wieder ins Schlafzimmer, öffnet die Lade des Nachtkäst-
chens. Er fühlt hinein und findet eine Schildkröthaarnadel.
Er sucht nach einem Ort, sie zu verstecken, gibt sie endlich
in die Tasche seines Überziehers. Dann öffnet er einen
Schrank, der im Salon steht, nimmt eine silberne Tasse mit* 25
*einer Flasche Cognac und zwei Likörgläschen heraus, stellt
alles auf den Tisch. Er geht wieder zu seinem Überzieher,
aus dem er jetzt ein kleines weißes Päckchen nimmt. Er öffnet es und legt es zum Cognac; geht wieder zum Schrank,
nimmt zwei kleine Teller und Essbestecke heraus. Er ent-* 30
*nimmt dem kleinen Paket eine glasierte Kastanie und isst
sie. Dann schenkt er sich ein Glas Cognac ein und trinkt es*

rasch aus. Dann sieht er auf seine Uhr. Er geht im Zimmer
auf und ab. – Vor dem großen Wandspiegel bleibt er eine
Weile stehen, richtet mit seinem Taschenkamm das Haar
und den kleinen Schnurrbart. – Er geht nun zur Vorzim-
5 *mertür und horcht. Nichts regt sich. Dann zieht er die blauen*
Portieren, die vor der Schlafzimmertür angebracht sind, zu-
sammen. Es klingelt. Der junge Herr fährt leicht zusammen.
Dann setzt er sich auf den Fauteuil und erhebt sich erst, als
die Tür geöffnet wird und die junge Frau eintritt. –

10 DIE JUNGE FRAU *dicht verschleiert, schließt die Tür hinter sich,*
   bleibt einen Augenblick stehen, indem sie die linke Hand aufs
   Herz legt, als müsse sie eine gewaltige Erregung bemeistern.
   DER JUNGE HERR *tritt auf sie zu, nimmt ihre linke Hand und*
   drückt auf den weißen, schwarz tamburierten Handschuh
15 *einen Kuss. Er sagt leise* Ich danke Ihnen.
   DIE JUNGE FRAU Alfred – Alfred!
   DER JUNGE HERR Kommen Sie, gnädige Frau … Kom-
   men Sie, Frau Emma …
   DIE JUNGE FRAU Lassen Sie mich noch eine Weile – bitte …
20 o bitte sehr, Alfred! *Sie steht noch immer an der Tür.*
   DER JUNGE HERR *steht vor ihr, hält ihre Hand.*
   DIE JUNGE FRAU Wo bin ich denn eigentlich?
   DER JUNGE HERR Bei mir.
   DIE JUNGE FRAU Dieses Haus ist schrecklich, Alfred.
25 DER JUNGE HERR Warum denn? Es ist ein sehr vornehmes
   Haus.
   DIE JUNGE FRAU Ich bin zwei Herren auf der Stiege be-
   gegnet.
   DER JUNGE HERR Bekannte?
30 DIE JUNGE FRAU Ich weiß nicht. Es ist möglich.
   DER JUNGE HERR Pardon, gnädige Frau – aber Sie kennen
   doch Ihre Bekannten.

DIE JUNGE FRAU Ich habe ja gar nichts gesehen.

DER JUNGE HERR Aber wenn es selbst Ihre besten Freunde waren – sie können ja Sie nicht erkannt haben. Ich selbst ... wenn ich nicht wüsste, dass Sie es sind ... dieser Schleier –. 5

DIE JUNGE FRAU Es sind zwei.

DER JUNGE HERR Wollen Sie nicht ein bisschen näher? ... Und Ihren Hut legen Sie doch wenigstens ab!

DIE JUNGE FRAU Was fällt Ihnen ein, Alfred? Ich habe Ihnen gesagt: Fünf Minuten ... Nein, länger nicht ... ich 10 schwöre Ihnen –

DER JUNGE HERR Also den Schleier –

DIE JUNGE FRAU Es sind zwei.

DER JUNGE HERR Nun ja, beide Schleier – ich werde Sie doch wenigstens sehen dürfen. 15

DIE JUNGE FRAU Haben Sie mich denn lieb, Alfred?

DER JUNGE HERR *tief verletzt* Emma – Sie fragen mich ...

DIE JUNGE FRAU Es ist hier so heiß.

DER JUNGE HERR Aber Sie haben ja Ihre Pelzmantille an – Sie werden sich wahrhaftig verkühlen. 20

DIE JUNGE FRAU *tritt endlich ins Zimmer, wirft sich auf den Fauteuil* Ich bin totmüd'.

DER JUNGE HERR Erlauben Sie. *Er nimmt ihr die Schleier ab; nimmt die Nadel aus ihrem Hut, legt Hut, Nadel, Schleier beiseite.* 25

DIE JUNGE FRAU *lässt es geschehen.*

DER JUNGE HERR *steht vor ihr, schüttelt den Kopf.*

DIE JUNGE FRAU Was haben Sie?

DER JUNGE HERR So schön waren Sie noch nie.

DIE JUNGE FRAU Wieso? 30

DER JUNGE HERR Allein ... allein mit Ihnen – Emma – *Er lässt sich neben ihrem Fauteuil nieder, auf ein Knie, nimmt ihre beiden Hände und bedeckt sie mit Küssen.*

DIE JUNGE FRAU Und jetzt ... lassen Sie mich wieder gehen. Was Sie von mir verlangt haben, hab' ich getan.

DER JUNGE HERR *lässt seinen Kopf auf ihren Schoß sinken.*

DIE JUNGE FRAU Sie haben mir versprochen, brav zu sein.

5 DER JUNGE HERR Ja.

DIE JUNGE FRAU Man erstickt in diesem Zimmer.

DER JUNGE HERR *steht auf* Noch haben Sie Ihre Mantille an.

DIE JUNGE FRAU Legen Sie sie zu meinem Hut.

10 DER JUNGE HERR *nimmt ihr die Mantille ab und legt sie gleichfalls auf den Diwan.*

DIE JUNGE FRAU Und jetzt – adieu –

DER JUNGE HERR Emma –! – Emma! –

DIE JUNGE FRAU Die fünf Minuten sind längst vorbei.

15 DER JUNGE HERR Noch nicht eine! –

DIE JUNGE FRAU Alfred, sagen Sie mir einmal ganz genau, wie spät es ist.

DER JUNGE HERR Es ist Punkt Viertel sieben.

DIE JUNGE FRAU Jetzt sollte ich längst bei meiner Schwes-
20 ter sein.

DER JUNGE HERR Ihre Schwester können Sie oft sehen ...

DIE JUNGE FRAU O Gott, Alfred, warum haben Sie mich dazu verleitet.

DER JUNGE HERR Weil ich Sie ... anbete, Emma.

25 DIE JUNGE FRAU Wie vielen haben Sie das schon gesagt?

DER JUNGE HERR Seit ich Sie gesehen, niemandem.

DIE JUNGE FRAU Was bin ich für eine leichtsinnige Person! Wer mir das vorausgesagt hätte ... noch vor acht Tagen ... noch gestern ...

30 DER JUNGE HERR Und vorgestern haben Sie mir ja schon versprochen ...

DIE JUNGE FRAU Sie haben mich so gequält. Aber ich habe es nicht tun wollen. Gott ist mein Zeuge – ich habe es

nicht tun wollen ... Gestern war ich fest entschlossen ... Wissen Sie, dass ich Ihnen gestern Abend
sogar einen langen Brief geschrieben habe?

DER JUNGE HERR Ich habe keinen bekommen.

DIE JUNGE FRAU Ich habe ihn wieder zerrissen. Oh, ich
hätte Ihnen lieber diesen Brief schicken sollen.

DER JUNGE HERR Es ist doch besser so.

DIE JUNGE FRAU O nein, es ist schändlich ... von mir. Ich
begreife mich selber nicht. Adieu, Alfred, lassen Sie mich.

DER JUNGE HERR *umfasst sie und bedeckt ihr Gesicht mit
heißen Küssen.*

DIE JUNGE FRAU So ... halten Sie Ihr Wort ...

DER JUNGE HERR Noch einen Kuss – noch einen.

DIE JUNGE FRAU Den letzten. *Er küsst sie; sie erwidert den
Kuss; ihre Lippen bleiben lange aneinandergeschlossen.*

DER JUNGE HERR Soll ich Ihnen etwas sagen, Emma? Ich
weiß jetzt erst, was Glück ist.

DIE JUNGE FRAU *sinkt in einen Fauteuil zurück.*

DER JUNGE HERR *setzt sich auf die Lehne, schlingt einen Arm
leicht um ihren Nacken* ... oder vielmehr, ich weiß jetzt
erst, was Glück sein könnte.

DIE JUNGE FRAU *seufzt tief auf.*

DER JUNGE HERR *küsst sie wieder.*

DIE JUNGE FRAU Alfred, Alfred, was machen Sie aus mir!

DER JUNGE HERR Nicht wahr – es ist hier gar nicht so un-
gemütlich ... Und wir sind ja hier so sicher! Es ist doch
tausendmal schöner als diese Rendezvous im Freien ...

DIE JUNGE FRAU Oh, erinnern Sie mich nur nicht daran.

DER JUNGE HERR Ich werde auch daran immer mit Tau-
send Freuden denken. Für mich ist jede Minute, die ich
an Ihrer Seite verbringen durfte, eine süße Erinnerung.

DIE JUNGE FRAU Erinnern Sie sich noch an den Industriel-
lenball?

DER JUNGE HERR Ob ich mich daran erinnere …? Da bin ich ja während des Soupers neben Ihnen gesessen, ganz nahe neben Ihnen. Ihr Mann hat Champagner …

DIE JUNGE FRAU *sieht ihn klagend an.*

5 DER JUNGE HERR Ich wollte nur vom Champagner reden. Sagen Sie, Emma, wollen Sie nicht ein Glas Cognac trinken?

DIE JUNGE FRAU Einen Tropfen, aber geben Sie mir vorher ein Glas Wasser.

10 DER JUNGE HERR Ja … Wo ist denn nur – ach ja … *Er schlägt die Portiere zurück und geht ins Schlafzimmer.*

DIE JUNGE FRAU *sieht ihm nach.*

DER JUNGE HERR *kommt zurück mit einer Karaffe Wasser und zwei Trinkgläsern.*

15 DIE JUNGE FRAU Wo waren Sie denn?

DER JUNGE HERR Im … Nebenzimmer. *Schenkt ein Glas Wasser ein.*

DIE JUNGE FRAU Jetzt werde ich Sie etwas fragen, Alfred – und schwören Sie mir, dass Sie mir die Wahrheit sagen

20 werden.

DER JUNGE HERR Ich schwöre. –

DIE JUNGE FRAU War in diesen Räumen schon jemals eine andere Frau?

DER JUNGE HERR Aber Emma – dieses Haus steht schon

25 zwanzig Jahre!

DIE JUNGE FRAU Sie wissen, was ich meine, Alfred … Mit Ihnen! Bei Ihnen!

DER JUNGE HERR Mit mir – hier – Emma! – Es ist nicht schön, dass Sie an so etwas denken können.

30 DIE JUNGE FRAU Also Sie haben … wie soll ich … Aber nein, ich will Sie lieber nicht fragen. Es ist besser, wenn ich nicht frage. Ich bin ja selbst schuld. Alles rächt sich.

DER JUNGE HERR Ja, was haben Sie denn? Was ist Ihnen denn? Was rächt sich?

DIE JUNGE FRAU Nein, nein, nein, ich darf nicht zum Bewusstsein kommen ... Sonst müsste ich vor Scham in die Erde sinken.

DER JUNGE HERR *mit der Karaffe Wasser in der Hand, schüttelt traurig den Kopf* Emma, wenn Sie ahnen könnten, wie weh Sie mir tun.

DIE JUNGE FRAU *schenkt sich ein Glas Cognac ein.*

DER JUNGE HERR Ich will Ihnen etwas sagen, Emma. Wenn Sie sich schämen, hier zu sein – wenn ich Ihnen also gleichgültig bin – wenn Sie nicht fühlen, dass Sie für mich alle Seligkeit der Welt bedeuten – so gehn Sie lieber. –

DIE JUNGE FRAU Ja, das werd' ich auch tun.

DER JUNGE HERR *sie bei der Hand fassend* Wenn Sie aber ahnen, dass ich ohne Sie nicht leben kann, dass ein Kuss auf Ihre Hand für mich mehr bedeutet als alle Zärtlichkeiten, die alle Frauen auf der ganzen Welt ... Emma, ich bin nicht wie die anderen jungen Leute, die den Hof machen können – ich bin vielleicht zu naiv ... ich ...

DIE JUNGE FRAU Wenn Sie aber doch sind wie die anderen jungen Leute?

DER JUNGE HERR Dann wären Sie heute nicht da – denn Sie sind nicht wie die anderen Frauen.

DIE JUNGE FRAU Woher wissen Sie das?

DER JUNGE HERR *hat sie zum Diwan gezogen, sich nahe neben sie gesetzt* Ich habe viel über Sie nachgedacht. Ich weiß, Sie sind unglücklich.

DIE JUNGE FRAU *erfreut* Ja.

DER JUNGE HERR Das Leben ist so leer, so nichtig – und dann, – so kurz – so entsetzlich kurz! Es gibt nur ein

Glück ... einen Menschen finden, von dem man geliebt wird –

DIE JUNGE FRAU *hat eine kandierte Birne vom Tisch genom-*
men, nimmt sie in den Mund.

5 DER JUNGE HERR Mir die Hälfte! *Sie reicht sie ihm mit den*
Lippen.

DIE JUNGE FRAU *fasst die Hände des jungen Herrn, die sich zu*
verirren drohen Was tun Sie denn, Alfred ... Ist das Ihr
Versprechen?

10 DER JUNGE HERR *die Birne verschluckend, dann kühner* Das
Leben ist so kurz.

DIE JUNGE FRAU *schwach* Aber das ist ja kein Grund –

DER JUNGE HERR *mechanisch* O ja.

DIE JUNGE FRAU *schwächer* Schauen Sie, Alfred, und Sie ha-
15 ben doch versprochen, brav ... Und es ist so hell ...

DER JUNGE HERR Komm, komm, du Einzige, Einzige ...
Er hebt sie vom Diwan empor.

DIE JUNGE FRAU Was machen Sie denn?

DER JUNGE HERR Da drin ist es gar nicht hell.

20 DIE JUNGE FRAU Ist denn da noch ein Zimmer?

DER JUNGE HERR *zieht sie mit* Ein schönes ... und ganz
dunkel.

DIE JUNGE FRAU Bleiben wir doch lieber hier.

DER JUNGE HERR *bereits mit ihr hinter der Portiere, im Schlaf-*
25 *zimmer, nestelt ihr die Taille auf.*

DIE JUNGE FRAU Sie sind so ... o Gott, was machen Sie aus
mir! – Alfred!

DER JUNGE HERR Ich bete dich an, Emma!

DIE JUNGE FRAU So wart doch, wart doch wenigstens ...
30 *Schwach* Geh ... ich ruf dich dann.

DER JUNGE HERR Lass mir dich – lass dir mich *Er verspricht*
sich ... lass ... mich – dir – helfen.

DIE JUNGE FRAU Du zerreißt mir ja alles.

DER JUNGE HERR Du hast kein Mieder an?

DIE JUNGE FRAU Ich trag' nie ein Mieder. Die Odilon trägt auch keines. Aber die Schuh kannst du mir aufknöpfeln.

DER JUNGE HERR *knöpfelt die Schuhe auf, küsst ihre Füße.* 5

DIE JUNGE FRAU *ist ins Bett geschlüpft* Oh, mir ist kalt.

DER JUNGE HERR Gleich wird's warm werden.

DIE JUNGE FRAU *leise lachend* Glaubst du?

DER JUNGE HERR *unangenehm berührt, für sich* Das hätte sie nicht sagen sollen. *Entkleidet sich im Dunkel.* 10

DIE JUNGE FRAU *zärtlich* Komm, komm, komm!

DER JUNGE HERR *dadurch wieder in besserer Stimmung* Gleich –

DIE JUNGE FRAU Es riecht hier so nach Veilchen.

DER JUNGE HERR Das bist du selbst ... Ja *Zu ihr* du selbst. 15

DIE JUNGE FRAU Alfred ... Alfred!!!!

DER JUNGE HERR Emma ...

‒ ‒

DER JUNGE HERR Ich habe dich offenbar zu lieb ... ja ... ich bin wie von Sinnen.

DIE JUNGE FRAU ... 20

DER JUNGE HERR Die ganzen Tage über bin ich schon wie verrückt. Ich hab' es geahnt.

DIE JUNGE FRAU Mach dir nichts draus.

DER JUNGE HERR O gewiss nicht. Es ist ja geradezu selbstverständlich, wenn man ... 25

DIE JUNGE FRAU Nicht ... nicht ... Du bist nervös. Beruhige dich nur ...

DER JUNGE HERR Kennst du Stendhal?

DIE JUNGE FRAU Stendhal?

DER JUNGE HERR Die ›Psychologie de l'amour‹. 30

DIE JUNGE FRAU Nein, warum fragst du mich?

DER JUNGE HERR Da kommt eine Geschichte drin vor, die sehr bezeichnend ist.

DIE JUNGE FRAU Was ist das für eine Geschichte?

DER JUNGE HERR Das ist eine ganze Gesellschaft von Kavallerieoffizieren zusammen –

DIE JUNGE FRAU So.

DER JUNGE HERR Und die erzählen von ihren Liebesabenteuern. Und jeder berichtet, dass ihm bei der Frau, die er am meisten, weißt du, am leidenschaftlichsten geliebt hat ... dass ihn die, dass er die – also kurz und gut, dass es jedem bei dieser Frau so gegangen ist wie jetzt mir.

DIE JUNGE FRAU Ja.

DER JUNGE HERR Das ist sehr charakteristisch.

DIE JUNGE FRAU Ja.

DER JUNGE HERR Es ist noch nicht aus. Ein Einziger behauptet ... es sei ihm in seinem ganzen Leben noch nicht passiert, aber, setzt Stendhal hinzu – das war ein berüchtigter Bramarbas.

DIE JUNGE FRAU So. –

DER JUNGE HERR Und doch verstimmt es einen, das ist das Dumme, so gleichgültig es eigentlich ist.

DIE JUNGE FRAU Freilich. Überhaupt weißt du ... du hast mir ja versprochen, brav zu sein.

DER JUNGE HERR Geh, nicht lachen, das bessert die Sache nicht.

DIE JUNGE FRAU Aber nein, ich lache ja nicht. Das von Stendhal ist wirklich interessant. Ich habe immer gedacht, dass nur bei älteren ... oder bei sehr ... weißt du, bei Leuten, die viel gelebt haben ...

DER JUNGE HERR Was fällt dir ein. Das hat damit gar nichts zu tun. Ich habe übrigens die hübscheste Geschichte aus dem Stendhal ganz vergessen. Da ist einer von den Kavallerieoffizieren, der erzählt sogar, dass er drei Nächte oder gar sechs ... ich weiß nicht mehr, mit der Frau zusammen war, die er durch Wochen hindurch verlangt hat – desirée – verstehst du –, und die haben alle diese Nächte hindurch nichts getan als vor Glück geweint ... beide ...

DIE JUNGE FRAU Beide?

DER JUNGE HERR Ja. Wundert dich das? Ich find' das so begreiflich – gerade wenn man sich liebt.

DIE JUNGE FRAU Aber es gibt gewiss viele, die nicht weinen.

DER JUNGE HERR *nervös* Gewiss ... das ist ja auch ein exzeptioneller Fall.

DIE JUNGE FRAU Ah – ich dachte, Stendhal sagte, alle Kavallerieoffiziere weinen bei dieser Gelegenheit.

DER JUNGE HERR Siehst du, jetzt machst du dich doch lustig.

DIE JUNGE FRAU Aber was fällt dir ein! Sei doch nicht kindisch, Alfred!

DER JUNGE HERR Es macht nun einmal nervös ... Dabei habe ich die Empfindung, dass du ununterbrochen daran denkst. Das geniert mich erst recht.

DIE JUNGE FRAU Ich denke absolut nicht daran.

DER JUNGE HERR O ja. Wenn ich nur überzeugt wäre, dass du mich liebst.

DIE JUNGE FRAU Verlangst du noch mehr Beweise?

DER JUNGE HERR Siehst du ... immer machst du dich lustig.

DIE JUNGE FRAU Wieso denn? Komm, gib mir dein süßes Kopferl.

DER JUNGE HERR Ach, das tut wohl.

DIE JUNGE FRAU Hast du mich lieb?

DER JUNGE HERR Oh, ich bin ja so glücklich.

DIE JUNGE FRAU Aber du brauchst nicht auch noch zu weinen.

DER JUNGE HERR *sich von ihr entfernend, höchst irritiert* Wieder, wieder. Ich hab' dich ja so gebeten …

5 DIE JUNGE FRAU Wenn ich dir sage, dass du nicht weinen sollst …

DER JUNGE HERR Du hast gesagt: Auch noch zu weinen.

DIE JUNGE FRAU Du bist nervös, mein Schatz.

DER JUNGE HERR Das weiß ich.

10 DIE JUNGE FRAU Aber du sollst es nicht sein. Es ist mir sogar lieb, dass es … dass wir sozusagen als gute Kameraden …

DER JUNGE HERR Schon wieder fangst du an.

DIE JUNGE FRAU Erinnerst du dich denn nicht! Das war ei-
15 nes unserer ersten Gespräche. Gute Kameraden haben wir sein wollen; nichts weiter. Oh, das war schön … das war bei meiner Schwester, im Jänner auf dem großen Ball, während der Quadrille … Um Gottes willen, ich sollte ja längst fort sein … meine Schwester – erwartet
20 mich ja – was werd' ich ihr denn sagen … Adieu, Alfred –

DER JUNGE HERR Emma –! So willst du mich verlassen!

DIE JUNGE FRAU Ja – so! –

DER JUNGE HERR Noch fünf Minuten …

DIE JUNGE FRAU Gut. Noch fünf Minuten. Aber du musst
25 mir versprechen … dich nicht zu rühren? … Ja? … Ich will dir noch einen Kuss zum Abschied geben … Pst … ruhig … nicht rühren, hab' ich gesagt, sonst steh' ich gleich auf, du mein süßer … süßer …

DER JUNGE HERR Emma … meine ange…

– –

30 DIE JUNGE FRAU Mein Alfred –

DER JUNGE HERR Ah, bei dir ist der Himmel.

DIE JUNGE FRAU Aber jetzt muss ich wirklich fort.

DER JUNGE HERR Ach, lass deine Schwester warten.

DIE JUNGE FRAU Nach Haus muss ich. Für meine Schwester ist's längst zu spät. Wie viel Uhr ist es denn eigentlich? 5

DER JUNGE HERR Ja, wie soll ich das eruieren?

DIE JUNGE FRAU Du musst eben auf die Uhr sehen.

DER JUNGE HERR Meine Uhr ist in meinem Gilet.

DIE JUNGE FRAU So hol sie.

DER JUNGE HERR *steht mit einem mächtigen Ruck auf* Acht. 10

DIE JUNGE FRAU *erhebt sich rasch* Um Gottes willen …
Rasch, Alfred, gib mir meine Strümpfe. Was soll ich
denn nur sagen? Zu Hause wird man sicher schon auf
mich warten … acht Uhr …

DER JUNGE HERR Wann seh' ich dich denn wieder? 15

DIE JUNGE FRAU Nie.

DER JUNGE HERR Emma! Hast du mich denn nicht mehr
lieb?

DIE JUNGE FRAU Eben darum. Gib mir meine Schuhe.

DER JUNGE HERR Niemals wieder? Hier sind die Schuhe. 20

DIE JUNGE FRAU In meinem Sack ist ein Schuhknöpfler.
Ich bitt' dich, rasch …

DER JUNGE HERR Hier ist der Knöpfler.

DIE JUNGE FRAU Alfred, das kann uns beide den Hals
kosten. 25

DER JUNGE HERR *höchst unangenehm berührt* Wieso?

DIE JUNGE FRAU Ja, was soll ich denn sagen, wenn er mich
fragt: Woher kommst du?

DER JUNGE HERR Von der Schwester.

DIE JUNGE FRAU Ja, wenn ich lügen könnte. 30

DER JUNGE HERR Na, du musst es eben tun.

DIE JUNGE FRAU Alles für so einen Menschen. Ach, komm
her … lass dich noch einmal küssen. *Sie umarmt ihn –*

Und jetzt – – lass mich allein, geh ins andere Zimmer. Ich kann mich nicht anziehen, wenn du dabei bist.

DER JUNGE HERR *geht in den Salon, wo er sich ankleidet. Er isst etwas von der Bäckerei, trinkt ein Glas Cognac.*

DIE JUNGE FRAU *ruft nach einer Weile* Alfred!

DER JUNGE HERR Mein Schatz.

DIE JUNGE FRAU Es ist doch besser, dass wir nicht geweint haben.

DER JUNGE HERR *nicht ohne Stolz lächelnd* Wie kann man so frivol reden? –

DIE JUNGE FRAU Wie wird das jetzt nur sein – wenn wir uns zufällig wieder einmal in Gesellschaft begegnen?

DER JUNGE HERR Zufällig – einmal … Du bist ja morgen sicher auch bei Lobheimers?

DIE JUNGE FRAU Ja. Du auch?

DER JUNGE HERR Freilich. Darf ich dich um den Kotillon bitten?

DIE JUNGE FRAU Oh, ich werde nicht hinkommen. Was glaubst du denn? – Ich würde ja … *Sie tritt völlig angekleidet in den Salon, nimmt eine Schokoladebäckerei* in die Erde sinken.

DER JUNGE HERR Also morgen bei Lobheimer, das ist schön.

DIE JUNGE FRAU Nein, nein … ich sage ab; bestimmt –

DER JUNGE HERR Also übermorgen … hier.

DIE JUNGE FRAU Was fällt dir ein?

DER JUNGE HERR Um sechs …

DIE JUNGE FRAU Hier an der Ecke stehen Wagen, nicht wahr? –

DER JUNGE HERR Ja, so viel du willst. Also übermorgen hier um sechs. So sag doch ja, mein geliebter Schatz.

DIE JUNGE FRAU … Das besprechen wir morgen beim Kotillon.

DER JUNGE HERR *umarmt sie* Mein Engel.

DIE JUNGE FRAU Nicht wieder meine Frisur ruinieren.

DER JUNGE HERR Also morgen bei Lobheimers und übermorgen in meinen Armen.

DIE JUNGE FRAU Leb wohl … 5

DER JUNGE HERR *plötzlich wieder besorgt* Und was wirst
du – ihm heut sagen? –

DIE JUNGE FRAU Frag nicht … frag nicht … es ist zu
schrecklich. – Warum hab' ich dich so lieb! – Adieu. –
Wenn ich wieder Menschen auf der Stiege begegne, 10
trifft mich der Schlag. – Pah! –

DER JUNGE HERR *küsst ihr noch einmal die Hand.*

DIE JUNGE FRAU *geht.*

DER JUNGE HERR *bleibt allein zurück. Dann setzt er sich auf
den Diwan. Er lächelt vor sich hin und sagt zu sich selbst* 15
Also jetzt hab' ich ein Verhältnis mit einer anständigen
Frau.

DIE JUNGE FRAU UND DER EHEMANN

Ein behagliches Schlafgemach. – Es ist halb elf Uhr nachts.
Die Frau liegt zu Bette und liest. Der Gatte tritt eben, im
Schlafrock, ins Zimmer. –

DIE JUNGE FRAU *ohne aufzuschauen* Du arbeitest nicht mehr?
DER GATTE Nein. Ich bin zu müde. Und außerdem …
DIE JUNGE FRAU Nun? –
DER GATTE Ich hab' mich an meinem Schreibtisch plötz-
lich so einsam gefühlt. Ich habe Sehnsucht nach dir be-
kommen.
DIE JUNGE FRAU *schaut auf* Wirklich?
DER GATTE *setzt sich zu ihr aufs Bett* Lies heute nicht mehr.
Du wirst dir die Augen verderben.
DIE JUNGE FRAU *schlägt das Buch zu* Was hast du denn?
DER GATTE Nichts, mein Kind. Verliebt bin ich in dich!
Das weißt du ja!
DIE JUNGE FRAU Man könnte es manchmal fast vergessen.
DER GATTE Man muss es sogar manchmal vergessen.
DIE JUNGE FRAU Warum?
DER GATTE Weil die Ehe sonst etwas Unvollkommenes
wäre. Sie würde … wie soll ich nur sagen … sie würde
ihre Heiligkeit verlieren.
DIE JUNGE FRAU Oh …
DER GATTE Glaube mir – es ist so … Hatten wir in den
fünf Jahren, die wir jetzt miteinander verheiratet sind,
nicht manchmal vergessen, dass wir ineinander verliebt
sind – wir wären es wohl gar nicht mehr.
DIE JUNGE FRAU Das ist mir zu hoch.
DER GATTE Die Sache ist einfach die: Wir haben vielleicht
schon zehn oder zwölf Liebschaften miteinander gehabt … Kommt es dir nicht auch so vor?

DIE JUNGE FRAU Ich hab' nicht gezählt! –

DER GATTE Hätten wir gleich die erste bis zum Ende durchgekostet, hätte ich mich von Anfang an meiner Leidenschaft für dich willenlos hingegeben, es wäre uns gegangen wie den Millionen von anderen Liebespaaren. Wir wären fertig miteinander.

DIE JUNGE FRAU Ah ... so meinst du das?

DER GATTE Glaube mir – Emma – in den ersten Tagen unserer Ehe hatte ich Angst, dass es so kommen würde.

DIE JUNGE FRAU Ich auch.

DER GATTE Siehst du? Hab' ich nicht recht gehabt? Darum ist es gut, immer wieder für einige Zeit nur in guter Freundschaft miteinander hinzuleben.

DIE JUNGE FRAU Ach so.

DER GATTE Und so kommt es, dass wir immer wieder neue Flitterwochen miteinander durchleben können, da ich es nie drauf ankommen lasse, die Flitterwochen ...

DIE JUNGE FRAU Zu Monaten auszudehnen.

DER GATTE Richtig.

DIE JUNGE FRAU Und jetzt ... scheint also wieder eine Freundschaftsperiode abgelaufen zu sein –?

DER GATTE *sie zärtlich an sich drückend* Es dürfte so sein.

DIE JUNGE FRAU Wenn es aber ... bei mir anders wäre.

DER GATTE Es ist bei dir nicht anders. Du bist ja das klügste und entzückendste Wesen, das es gibt. Ich bin sehr glücklich, dass ich dich gefunden habe.

DIE JUNGE FRAU Das ist aber nett, wie du den Hof machen kannst – von Zeit zu Zeit.

DER GATTE *hat sich auch zu Bett begeben* Für einen Mann, der sich ein bisschen in der Welt umgesehen hat – geh, leg den Kopf an meine Schulter – der sich in der Welt umgesehen hat, bedeutet die Ehe eigentlich etwas viel Geheimnisvolleres als für euch junge Mädchen aus gu-

38

ter Familie. Ihr tretet uns rein und … wenigstens bis zu einem gewissen Grad unwissend entgegen, und darum habt ihr eigentlich einen viel klareren Blick für das Wesen der Liebe als wir.

5 DIE JUNGE FRAU *lachend* Oh!

DER GATTE Gewiss. Denn wir sind ganz verwirrt und unsicher geworden durch die vielfachen Erlebnisse, die wir notgedrungen vor der Ehe durchzumachen haben. Ihr hört ja viel und wisst zu viel und lest ja wohl eigentlich

10 auch zu viel, aber einen rechten Begriff von dem, was wir Männer in der Tat erleben, habt ihr ja doch nicht. Uns wird das, was man so gemeinhin die Liebe nennt, recht gründlich widerwärtig gemacht; denn was sind das schließlich für Geschöpfe, auf die wir angewiesen sind!

15 DIE JUNGE FRAU Ja, was sind das für Geschöpfe?

DER GATTE *küsst sie auf die Stirn* Sei froh, mein Kind, dass du nie einen Einblick in diese Verhältnisse erhalten hast. Es sind übrigens meist recht bedauernswerte Wesen – werfen wir keinen Stein auf sie.

20 DIE JUNGE FRAU Bitt' dich – dieses Mitleid – Das kommt mir da gar nicht recht angebracht vor.

DER GATTE *mit schöner Milde* Sie verdienen es. Ihr, die ihr junge Mädchen aus guter Familie wart, die ruhig unter Obhut euerer Eltern auf den Ehrenmann warten konn-

25 tet, der euch zur Ehe begehrt; – ihr kennt ja das Elend nicht, das die meisten von diesen armen Geschöpfen der Sünde in die Arme treibt.

DIE JUNGE FRAU So verkaufen sich denn alle?

DER GATTE Das möchte ich nicht sagen. Ich mein' ja auch

30 nicht nur das materielle Elend. Aber es gibt auch – ich möchte sagen – ein sittliches Elend; eine mangelhafte Auffassung für das, was erlaubt, und insbesondere für das, was edel ist.

DIE JUNGE FRAU Aber warum sind die zu bedauern? – Denen geht's ja ganz gut?

DER GATTE Du hast sonderbare Ansichten, mein Kind. Du darfst nicht vergessen, dass solche Wesen von Natur aus bestimmt sind, immer tiefer und tiefer zu fallen. Da gibt es kein Aufhalten. 5

DIE JUNGE FRAU *sich an ihn schmiegend* Offenbar fällt es sich ganz angenehm.

DER GATTE *peinlich berührt* Wie kannst du so reden, Emma. Ich denke doch, dass es gerade für euch, anständige Frauen, nichts Widerwärtigeres geben kann als alle diejenigen, die es nicht sind. 10

DIE JUNGE FRAU Freilich, Karl, freilich. Ich hab's ja auch nur so gesagt. Geh, erzähl weiter. Es ist so nett, wenn du so red'st. Erzähl mir was. 15

DER GATTE Was denn? –

DIE JUNGE FRAU Nun – von diesen Geschöpfen.

DER GATTE Was fällt dir denn ein?

DIE JUNGE FRAU Schau, ich hab' dich schon früher, weißt du, ganz am Anfang hab' ich dich immer gebeten, du sollst mir aus deiner Jugend was erzählen. 20

DER GATTE Warum interessiert dich denn das?

DIE JUNGE FRAU Bist du denn nicht mein Mann? Und ist das nicht geradezu eine Ungerechtigkeit, dass ich von deiner Vergangenheit eigentlich gar nichts weiß? –

DER GATTE Du wirst mich doch nicht für so geschmack- 25 los halten, dass ich – Genug, Emma ... das ist ja wie eine Entweihung.

DIE JUNGE FRAU Und doch hast du ... wer weiß wie viel andere Frauen gerade so in den Armen gehalten wie jetzt mich. 30

DER GATTE Sag doch nicht »Frauen«. Frau bist du.

DIE JUNGE FRAU Aber eine Frage musst du mir beantworten ... sonst ... sonst ... ist's nichts mit den Flitterwochen.

DER GATTE Du hast eine Art, zu reden ... denk doch, dass du Mutter bist ... dass unser Mäderl da drin liegt ...

DIE JUNGE FRAU *an ihn sich schmiegend* Aber ich möcht' auch einen Buben.

DER GATTE Emma!

DIE JUNGE FRAU Geh, sei nicht so ... freilich bin ich deine Frau ... aber ich möchte auch ein bissel ... deine Geliebte sein.

DER GATTE Möchtest du? ...

DIE JUNGE FRAU Also – zuerst meine Frage.

DER GATTE *gefügig* Nun?

DIE JUNGE FRAU War ... eine verheiratete Frau – unter ihnen?

DER GATTE Wieso? – Wie meinst du das?

DIE JUNGE FRAU Du weißt schon.

DER GATTE *leicht beunruhigt* Wie kommst du auf diese Frage?

DIE JUNGE FRAU Ich möchte wissen, ob es ... das heißt ... es gibt solche Frauen ... das weiß ich. Aber ob du ...

DER GATTE *ernst* Kennst du eine solche Frau?

DIE JUNGE FRAU Ja, ich weiß das selber nicht.

DER GATTE Ist unter deinen Freundinnen vielleicht eine solche Frau?

DIE JUNGE FRAU Ja, wie kann ich das mit Bestimmtheit behaupten – oder verneinen?

DER GATTE Hat dir vielleicht einmal eine deiner Freundinnen ... Man spricht über gar manches, wenn man so – die Frauen unter sich – hat dir eine gestanden –?

DIE JUNGE FRAU *unsicher* Nein.

DER GATTE Hast du bei irgendeiner deiner Freundinnen
den Verdacht, dass sie …

DIE JUNGE FRAU Verdacht … oh … Verdacht.

DER GATTE Es scheint.

DIE JUNGE FRAU Gewiss nicht Karl, sicher nicht. Wenn ich   5
mir's so überlege – ich trau' es doch keiner zu.

DER GATTE Keiner?

DIE JUNGE FRAU Von meinen Freundinnen keiner.

DER GATTE Versprich mir etwas, Emma.

DIE JUNGE FRAU Nun.   10

DER GATTE Dass du nie mit einer Frau verkehren wirst,
bei der du auch den leisesten Verdacht hast, dass sie …
kein ganz tadelloses Leben führt.

DIE JUNGE FRAU Das muss ich dir erst versprechen?

DER GATTE Ich weiß ja, dass du den Verkehr mit solchen   15
Frauen nicht suchen wirst. Aber der Zufall könnte es
fügen, dass du … Ja, es ist sogar sehr häufig, dass gerade
solche Frauen, deren Ruf nicht der beste ist, die Gesellschaft von anständigen Frauen suchen, teils um sich ein
Relief zu geben, teils aus einem gewissen … wie soll   20
ich sagen … aus einem gewissen Heimweh nach der
Tugend.

DIE JUNGE FRAU So.

DER GATTE Ja. Ich glaube, dass das sehr richtig ist, was ich
da gesagt habe, Heimweh nach der Tugend. Denn dass   25
diese Frauen alle eigentlich sehr unglücklich sind, das
kannst du mir glauben.

DIE JUNGE FRAU Warum?

DER GATTE Du fragst, Emma? – Wie kannst du denn nur
fragen? – Stell dir doch vor, was diese Frauen für eine   30
Existenz führen! Voll Lüge, Tücke, Gemeinheit und
voll Gefahren.

DIE JUNGE FRAU Ja freilich. Da hast du schon recht.

DER GATTE Wahrhaftig – sie bezahlen das bisschen Glück …
das bisschen …

DIE JUNGE FRAU Vergnügen.

DER GATTE Warum Vergnügen? Wie kommst du darauf,
das Vergnügen zu nennen?

DIE JUNGE FRAU Nun – etwas muss es doch sein –! Sonst
täten sie's ja nicht.

DER GATTE Nichts ist es … ein Rausch.

DIE JUNGE FRAU *nachdenklich* Ein Rausch.

DER GATTE Nein, es ist nicht einmal ein Rausch. Wie immer – teuer bezahlt, das ist gewiss!

DIE JUNGE FRAU Also … du hast das einmal mitgemacht –
nicht wahr?

DER GATTE Ja, Emma. – Es ist meine traurigste Erinnerung.

DIE JUNGE FRAU Wer ist's? Sag! Kenn' ich sie?

DER GATTE Was fällt dir denn ein?

DIE JUNGE FRAU Ist's lange her? War es sehr lang, bevor du
mich geheiratet hast?

DER GATTE Frag nicht. Ich bitt' dich, frag nicht.

DIE JUNGE FRAU Aber Karl!

DER GATTE Sie ist tot.

DIE JUNGE FRAU Im Ernst?

DER GATTE Ja … es klingt fast lächerlich, aber ich habe die
Empfindung, dass alle diese Frauen jung sterben.

DIE JUNGE FRAU Hast du sie sehr geliebt?

DER GATTE Lügnerinnen liebt man nicht.

DIE JUNGE FRAU Also warum …

DER GATTE Ein Rausch …

DIE JUNGE FRAU Also doch?

DER GATTE Sprich nicht mehr davon, ich bitt' dich. Alles
das ist lang vorbei. Geliebt hab' ich nur eine – das bist
du. Man liebt nur, wo Reinheit und Wahrheit ist.

DIE JUNGE FRAU Karl!

DER GATTE Oh, wie sicher, wie wohl fühlt man sich in solchen Armen. Warum hab' ich dich nicht schon als Kind gekannt? Ich glaube, dann hätt' ich andere Frauen überhaupt nicht angesehen.

DIE JUNGE FRAU Karl!   5

DER GATTE Und schön bist du! ... Schön! ... O komm ...
Er löscht das Licht aus.

--- --- --- --- --- --- --- --- ---

DIE JUNGE FRAU Weißt du, woran ich heute denken muss?

DER GATTE Woran, mein Schatz?

DIE JUNGE FRAU An ... an ... an Venedig.   10

DER GATTE Die erste Nacht ...

DIE JUNGE FRAU Ja ... so ...

DER GATTE Was denn –? So sag's doch!

DIE JUNGE FRAU So lieb hast du mich heut.

DER GATTE Ja, so lieb.   15

DIE JUNGE FRAU Ah ... Wenn du immer ...

DER GATTE *in ihren Armen* Wie?

DIE JUNGE FRAU Mein Karl!

DER GATTE Was meintest du? Wenn ich immer ...

DIE JUNGE FRAU Nun ja.   20

DER GATTE Nun, was war' denn, wenn ich immer ...?

DIE JUNGE FRAU Dann wüsst' ich eben immer, dass du mich lieb hast.

DER GATTE Ja. Du musst es aber auch so wissen. Man ist nicht immer der liebende Mann, man muss auch zuwei-   25
len hinaus ins feindliche Leben, muss kämpfen und stre-
ben! Das vergiss nie, mein Kind! Alles hat seine Zeit in
der Ehe – das ist eben das Schöne. Es gibt nicht viele, die
sich noch nach fünf Jahren an – ihr Venedig erinnern.

DIE JUNGE FRAU Freilich!   30

DER GATTE Und jetzt ... gute Nacht, mein Kind.

DIE JUNGE FRAU Gute Nacht!

DER GATTE UND DAS SÜSSE MÄDEL

Ein Cabinet particulier im Riedhof. Behagliche, mäßige Ele-
ganz. Der Gasofen brennt. – Der Gatte. Das süße Mädel. –
Auf dem Tisch sind die Reste einer Mahlzeit zu sehen;
Obersschaumbaisers, Obst, Käse. In den Weingläsern ein
ungarischer weißer Wein. –

DER GATTE *raucht eine Havannazigarre, er lehnt in der Ecke*
des Diwans.

DAS SÜSSE MÄDEL *sitzt neben ihm auf dem Sessel und löffelt aus ei-*
nem Baiser den Oberschaum heraus, den sie mit Behagen
schlürft.

DER GATTE Schmeckt's?

DAS SÜSSE MÄDEL *lässt sich nicht stören* Oh!

DER GATTE Willst du noch eins?

DAS SÜSSE MÄDEL Nein, ich hab' so schon zu viel ge-
gessen.

DER GATTE Du hast keinen Wein mehr. *Er schenkt ein.*

DAS SÜSSE MÄDEL Nein … aber schaun S', ich lass' ihn ja
eh stehen.

DER GATTE Schon wieder sagst du Sie.

DAS SÜSSE MÄDEL So? – Ja wissen S', man gewöhnt sich
halt so schwer.

DER GATTE Weißt du.

DAS SÜSSE MÄDEL Was denn?

DER GATTE Weißt du, sollst du sagen; nicht wissen S'. –
Komm, setz dich zu mir.

DAS SÜSSE MÄDEL Gleich … bin noch nicht fertig.

DER GATTE *steht auf, stellt sich hinter den Sessel und umarmt*
das süße Mädel, indem er ihren Kopf zu sich wendet.

DAS SÜSSE MÄDEL Na, was ist denn?

DER GATTE Einen Kuss möcht' ich haben.

DAS SÜSSE MÄDEL *gibt ihm einen Kuss* Sie sind … o Pardon, du bist ein kecker Mensch.

DER GATTE Jetzt fällt dir das ein?

DAS SÜSSE MÄDEL Ah nein, eingefallen ist es mir schon früher … schon auf der Gassen. – Sie müssen – 5

DER GATTE Du musst.

DAS SÜSSE MÄDEL Du musst dir eigentlich was Schönes von mir denken.

DER GATTE Warum denn?

DAS SÜSSE MÄDEL Dass ich gleich so mit Ihnen ins chambre separée gegangen bin. 10

DER GATTE Na, gleich kann man doch nicht sagen.

DAS SÜSSE MÄDEL Aber Sie können halt so schön bitten.

DER GATTE Findest du?

DAS SÜSSE MÄDEL Und schließlich, was ist denn dabei? 15

DER GATTE Freilich.

DAS SÜSSE MÄDEL Ob man spazieren geht oder –

DER GATTE Zum Spazierengehen ist es auch viel zu kalt.

DAS SÜSSE MÄDEL Natürlich ist es zu kalt gewesen.

DER GATTE Aber da ist es angenehm warm; was? *Er hat sich* 20
wieder niedergesetzt, umschlingt das süße Mädel und zieht sie
an seine Seite.

DAS SÜSSE MÄDEL *schwach* Na.

DER GATTE Jetzt sag einmal … Du hast mich schon früher bemerkt gehabt, was? 25

DAS SÜSSE MÄDEL Natürlich. Schon in der Singerstraßen.

DER GATTE Nicht heut, mein' ich. Auch vorgestern und vorvorgestern, wie ich dir nachgegangen bin.

DAS SÜSSE MÄDEL Mir gehn gar viele nach.

DER GATTE Das kann ich mir denken. Aber ob du mich 30
bemerkt hast.

DAS SÜSSE MÄDEL Wissen S' … ah … weißt, was mir neulich passiert ist? Da ist mir der Mann von meiner Cousine nachg'stiegen in der Dunkeln und hat mich nicht 'kennt.

DER GATTE Hat er dich angesprochen?

DAS SÜSSE MÄDEL Aber was glaubst denn? Meinst, es ist jeder so keck wie du?

DER GATTE Aber es kommt doch vor.

DAS SÜSSE MÄDEL Natürlich kommt's vor.

DER GATTE Na, was machst du da?

DAS SÜSSE MÄDEL Na, nichts – Keine Antwort geb' ich halt.

DER GATTE Hm … mir hast du aber eine Antwort gegeben.

DAS SÜSSE MÄDEL Na, sind S' vielleicht bös'?

DER GATTE *küsst sie heftig* Deine Lippen schmecken nach dem Obersschaum.

DAS SÜSSE MÄDEL Oh, die sind von Natur aus süß.

DER GATTE Das haben dir schon viele gesagt?

DAS SÜSSE MÄDEL Viele!! Was du dir wieder einbildest!

DER GATTE Na, sei einmal ehrlich. Wie viele haben den Mund da schon geküsst?

DAS SÜSSE MÄDEL Was fragst mich denn? Du möchtest mir's ja doch nicht glauben, wenn ich dir's sag'!

DER GATTE Warum denn nicht?

DAS SÜSSE MÄDEL Rat einmal.

DER GATTE Na, sagen wir – aber du darfst nicht bös' sein?

DAS SÜSSE MÄDEL Warum sollt' ich denn bös' sein?

DER GATTE Also ich schätze … zwanzig.

DAS SÜSSE MÄDEL *sich von ihm losmachend* Na – warum nicht gleich hundert?

DER GATTE Ja, ich hab' eben geraten.

DAS SÜSSE MÄDEL Da hast du aber nicht gut geraten.

DER GATTE Also zehn.

DAS SÜSSE MÄDEL *beleidigt* Freilich. Eine, die sich auf der Gassen anreden lässt und gleich mitgeht ins chambre separée!

DER GATTE Sei doch nicht so kindisch. Ob man auf der Straßen herumläuft oder in einem Zimmer sitzt ... Wir sind doch da in einem Gasthaus. Jeden Moment kann der Kellner hereinkommen – da ist doch wirklich gar nichts dran ... 5

DAS SÜSSE MÄDEL Das hab' ich mir eben auch gedacht.

DER GATTE Warst du schon einmal in einem chambre separée?

DAS SÜSSE MÄDEL Also, wenn ich die Wahrheit sagen soll: ja. 10

DER GATTE Siehst du, das g'fallt mir, dass du doch wenigstens aufrichtig bist.

DAS SÜSSE MÄDEL Aber nicht so – wie du dir's wieder denkst. Mit einer Freundin und ihrem Bräutigam bin ich im chambre separée gewesen, heuer im Fasching 15 einmal.

DER GATTE Es wär' ja auch kein Malheur, wenn du einmal – mit deinem Geliebten –

DAS SÜSSE MÄDEL Natürlich wär's kein Malheur. Aber ich hab' kein' Geliebten. 20

DER GATTE Na geh.

DAS SÜSSE MÄDEL Meiner Seel', ich hab' keinen.

DER GATTE Aber du wirst mir doch nicht einreden wollen, dass ich ...

DAS SÜSSE MÄDEL Was denn? ... Ich hab' halt keinen – 25 schon seit mehr als einem halben Jahr.

DER GATTE Ah so ... Aber vorher? Wer war's denn?

DAS SÜSSE MÄDEL Was sind S' denn gar so neugierig?

DER GATTE Ich bin neugierig, weil ich dich lieb hab'.

DAS SÜSSE MÄDEL Is wahr? 30

DER GATTE Freilich. Das musst du doch merken. Erzähl mir also. *Drückt sie fest an sich.*

DAS SÜSSE MÄDEL Was soll ich dir denn erzählen?

DER GATTE So lass dich doch nicht so lang bitten. Wer's gewesen ist, möcht' ich wissen.

DAS SÜSSE MÄDEL *lachend* Na ein Mann halt.

DER GATTE Also – also – wer war's?

5 DAS SÜSSE MÄDEL Ein bissel ähnlich hat er dir gesehen.

DER GATTE So.

DAS SÜSSE MÄDEL Wenn du ihm nicht so ähnlich schauen tät'st –

DER GATTE Was wär' dann?

10 DAS SÜSSE MÄDEL Na also frag nicht, wennst schon siehst, dass …

DER GATTE *versteht* Also darum hast du dich von mir anreden lassen.

DAS SÜSSE MÄDEL Na also ja.

15 DER GATTE Jetzt weiß ich wirklich nicht, soll ich mich freuen oder soll ich mich ärgern.

DAS SÜSSE MÄDEL Na, ich an deiner Stell' tät' mich freuen.

DER GATTE Na ja.

DAS SÜSSE MÄDEL Und auch im Reden erinnerst du mich
20 so an ihn … und wie du einen anschaust …

DER GATTE Was ist er denn gewesen?

DAS SÜSSE MÄDEL Nein, die Augen –

DER GATTE Wie hat er denn geheißen?

DAS SÜSSE MÄDEL Nein, schau mich nicht so an, ich bitt'
25 dich.

DER GATTE *umfängt sie. Langer, heißer Kuss.*

DAS SÜSSE MÄDEL *schüttelt sich, will aufstehen.*

DER GATTE Warum gehst du fort von mir?

DAS SÜSSE MÄDEL Es wird Zeit zum z' Haus gehn.

30 DER GATTE Später.

DAS SÜSSE MÄDEL Nein, ich muss wirklich schon z' Haus gehen. Was glaubst denn, was die Mutter sagen wird.

DER GATTE Du wohnst bei deiner Mutter?

DAS SÜSSE MÄDEL Natürlich wohn' ich bei meiner Mutter. Was hast denn geglaubt?

DER GATTE So – bei der Mutter. Wohnst du allein mit ihr?

DAS SÜSSE MÄDEL Ja freilich allein! Fünf sind wir! Zwei Buben und noch zwei Mädeln. 5

DER GATTE So setz dich doch nicht so weit fort von mir. Bist du die Älteste?

DAS SÜSSE MÄDEL Nein, ich bin die Zweite. Zuerst kommt die Kathi; die ist im Geschäft, in einer Blumenhandlung, dann komm' ich. 10

DER GATTE Wo bist du?

DAS SÜSSE MÄDEL Na, ich bin z' Haus.

DER GATTE Immer?

DAS SÜSSE MÄDEL Es muss doch eine z' Haus sein.

DER GATTE Freilich. Ja – und was sagst du denn eigentlich 15 deiner Mutter, wenn du – so spät nach Haus kommst?

DAS SÜSSE MÄDEL Das ist ja so eine Seltenheit.

DER GATTE Also heut zum Beispiel. Deine Mutter fragt dich doch?

DAS SÜSSE MÄDEL Natürlich fragt's mich. Da kann ich 20 Obacht geben, so viel ich will – wenn ich nach Haus komm', wacht s' auf.

DER GATTE Also was sagst du ihr da?

DAS SÜSSE MÄDEL Na, im Theater werd' ich halt gewesen sein. 25

DER GATTE Und glaubt sie das?

DAS SÜSSE MÄDEL Na, warum soll s' mir denn nicht glauben? Ich geh' ja oft ins Theater. Erst am Sonntag war ich in der Oper mit meiner Freundin und ihrem Bräutigam und mein' älter'n Bruder. 30

DER GATTE Woher habt ihr denn da die Karten?

DAS SÜSSE MÄDEL Aber, mein Bruder ist ja Friseur.

DER GATTE Ja, die Friseure … ah, wahrscheinlich Theaterfriseur.

DAS SÜSSE MÄDEL Was fragst mich denn so aus?

DER GATTE Es interessiert mich halt. Und was ist denn der
5   andere Bruder?

DAS SÜSSE MÄDEL Der geht noch in die Schul'. Der will ein
Lehrer werden. Nein … so was!

DER GATTE Und dann hast du noch eine kleine Schwester?

DAS SÜSSE MÄDEL Ja, die ist noch ein Fratz, aber auf die
10   muss man schon heut so aufpassen. Hast du denn eine
Idee, wie die Mädeln in der Schule verdorben werden!
Was glaubst! Neulich hab' ich sie bei einem Rendezvous erwischt.

DER GATTE Was?

15 DAS SÜSSE MÄDEL Ja! Mit einem Buben von der Schul' vis-
à-vis ist sie abends um halber acht in der Strozzigasse
spazieren gegangen. So ein Fratz!

DER GATTE Und, was hast du da gemacht?

DAS SÜSSE MÄDEL Na, Schläg' hat s' kriegt!

20 DER GATTE So streng bist du?

DAS SÜSSE MÄDEL Na, wer soll's denn sein? Die ältere ist
im G'schäft, die Mutter tut nichts als raunzen; – kommt
immer alles auf mich.

DER GATTE Herrgott, bist du lieb! *Küsst sie und wird zärt-*
25   *licher* Du erinnerst mich auch an wen.

DAS SÜSSE MÄDEL So – an wen denn?

DER GATTE An keine bestimmte … an die Zeit … na, halt
an meine Jugend. Geh, trink, mein Kind!

DAS SÜSSE MÄDEL Ja, wie alt bist du denn? … Du … ja …
30   ich weiß ja nicht einmal, wie du heißt.

DER GATTE Karl.

DAS SÜSSE MÄDEL Ist 's möglich! Karl heißt du?

DER GATTE Er hat auch Karl geheißen?

DAS SÜSSE MÄDEL Nein, das ist aber schon das reine Wunder ... das ist ja – nein, die Augen ... Das G'schau ... *Schüttelt den Kopf.*

DER GATTE Und wer er war – hast du mir noch immer nicht gesagt. 5

DAS SÜSSE MÄDEL Ein schlechter Mensch ist er gewesen – das ist g'wiss, sonst hätt' er mich nicht sitzen lassen.

DER GATTE Hast ihn sehr gern g'habt!

DAS SÜSSE MÄDEL Freilich hab' ich ihn gern g'habt!

DER GATTE Ich weiß, was er war, Lieutenant. 10

DAS SÜSSE MÄDEL Nein, bei Militär war er nicht. Sie haben ihn nicht genommen. Sein Vater hat ein Haus in der ... aber was brauchst du das zu wissen?

DER GATTE *küsst sie* Du hast eigentlich graue Augen, anfangs hab' ich gemeint, sie sind schwarz. 15

DAS SÜSSE MÄDEL Na sind s' dir vielleicht nicht schön genug?

DER GATTE *küsst ihre Augen.*

DAS SÜSSE MÄDEL Nein, nein – das vertrag' ich schon gar nicht – o bitt' dich – o Gott ... nein, lass mich aufstehn ... nur für einen Moment ... bitt' dich. 20

DER GATTE *immer zärtlicher* O nein.

DAS SÜSSE MÄDEL Aber ich bitt' dich, Karl ...

DER GATTE Wie alt bist du? Achtzehn, was?

DAS SÜSSE MÄDEL Neunzehn vorbei. 25

DER GATTE Neunzehn ... und ich –

DAS SÜSSE MÄDEL Du bist dreißig ...

DER GATTE Und einige drüber. – Reden wir nicht davon.

DAS SÜSSE MÄDEL Er war auch schon zweiunddreißig, wie ich ihn kennengelernt hab'. 30

DER GATTE Wie lang ist das her?

DAS SÜSSE MÄDEL Ich weiß nimmer ... Du, in dem Wein muss was drin gewesen sein.

DER GATTE Ja, warum denn?

DAS SÜSSE MÄDEL Ich bin ganz … weißt – mir dreht sich alles.

DER GATTE So halt dich fest an mich. So … *Er drückt sie an sich und wird immer zärtlicher, sie wehrt kaum ab* Ich werd' dir was sagen, mein Schatz, wir könnten jetzt wirklich gehn.

DAS SÜSSE MÄDEL Ja … nach Haus.

DER GATTE Nicht grad nach Haus …

DAS SÜSSE MÄDEL Was meinst denn? … O nein, o nein … ich geh' nirgends hin, was fällt dir denn ein –

DER GATTE Also hör mich nur an, mein Kind, das nächste Mal, wenn wir uns treffen, weißt du, da richten wir uns das so ein, dass … *Er ist zu Boden gesunken, hat seinen Kopf in ihrem Schoß* Das ist angenehm, oh, das ist angenehm.

DAS SÜSSE MÄDEL Was machst denn? *Sie küsst seine Haare* … Du, in dem Wein muss was drin gewesen sein – so schläfrig … du, was g'schieht denn, wenn ich nimmer aufstehn kann? Aber, aber, schau, aber Karl … und wenn wer hereinkommt … ich bitt' dich … der Kellner.

DER GATTE Da … kommt sein Lebtag … kein Kellner … herein …

— — — — — — — — — — — — — — — —

DAS SÜSSE MÄDEL *lehnt mit geschlossenen Augen in der Diwanecke.*

DER GATTE *geht in dem kleinen Raum auf und ab, nachdem er sich eine Zigarette angezündet. Längeres Schweigen.*

DER GATTE *betrachtet das süße Mädel lange, für sich* Wer weiß, was das eigentlich für eine Person ist – Donnerwetter … So schnell … War nicht sehr vorsichtig von mir … Hm …

DAS SÜSSE MÄDEL *ohne die Augen zu öffnen* In dem Wein muss was drin gewesen sein.

DER GATTE Ja, warum denn?

DAS SÜSSE MÄDEL Sonst …

DER GATTE Warum schiebst du denn alles auf den Wein? …

DAS SÜSSE MÄDEL Wo bist denn? Warum bist denn so weit? Komm doch zu mir.

DER GATTE *zu ihr hin, setzt sich.*

DAS SÜSSE MÄDEL Jetzt sag mir, ob du mich wirklich gern hast.

DER GATTE Das weißt du doch … *Er unterbricht sich rasch* Freilich.

DAS SÜSSE MÄDEL Weißt … es ist doch … Geh, sag mir die Wahrheit, was war in dem Wein?

DER GATTE Ja, glaubst du, ich bin ein … ich bin ein Giftmischer?

DAS SÜSSE MÄDEL Ja, schau, ich versteh's halt nicht. Ich bin doch nicht so … Wir kennen uns doch erst seit … Du, ich bin nicht so … meiner Seel' und Gott, – wenn du das von mir glauben tät'st –

DER GATTE Ja – was machst du dir denn da für Sorgen. Ich glaub' gar nichts Schlechtes von dir. Ich glaub' halt, dass du mich lieb hast.

DAS SÜSSE MÄDEL Ja …

DER GATTE Schließlich, wenn zwei junge Leut' allein in einem Zimmer sind, und nachtmahlen und trinken Wein … es braucht gar nichts drin zu sein in dem Wein.

DAS SÜSSE MÄDEL Ich hab's ja auch nur so g'sagt.

DER GATTE Ja, warum denn?

DAS SÜSSE MÄDEL *eher trotzig* Ich hab' mich halt g'schämt.

DER GATTE Das ist lächerlich. Dazu liegt gar kein Grund vor. Umso mehr als ich dich an deinen ersten Geliebten erinnere.

DAS SÜSSE MÄDEL Ja.

5 DER GATTE An den ersten.

DAS SÜSSE MÄDEL Na ja …

DER GATTE Jetzt möcht' es mich interessieren, wer die anderen waren.

DAS SÜSSE MÄDEL Niemand.

10 DER GATTE Das ist ja nicht wahr, das kann ja nicht wahr sein.

DAS SÜSSE MÄDEL Geh, bitt' dich, sekkier mich nicht. –

DER GATTE Willst eine Zigarette?

DAS SÜSSE MÄDEL Nein, ich dank' schön.

15 DER GATTE Weißt du, wie spät es ist?

DAS SÜSSE MÄDEL Na?

DER GATTE Halb zwölf.

DAS SÜSSE MÄDEL So!

DER GATTE Na … und die Mutter? Die ist es gewöhnt,
20 was?

DAS SÜSSE MÄDEL Willst mich wirklich schon z' Haus schicken?

DER GATTE Ja, du hast doch früher selbst –

DAS SÜSSE MÄDEL Geh, du bist aber wie ausgewechselt.
25 Was hab' ich dir denn getan?

DER GATTE Aber Kind, was hast du denn, was fällt dir denn ein?

DAS SÜSSE MÄDEL Und es ist nur dein G'schau gewesen, meiner Seel', sonst hätt'st du lang … haben mich schon
30 viele gebeten, ich soll mit ihnen ins chambre separée gehen.

DER GATTE Na, willst du … bald wieder mit mir hierher … oder auch woanders –

DAS SÜSSE MÄDEL Weiß nicht.

DER GATTE Was heißt das wieder: Du weißt nicht.

DAS SÜSSE MÄDEL Na, wenn du mich erst fragst?

DER GATTE Also wann? Ich möcht' dich nur vor allem aufklären, dass ich nicht in Wien lebe. Ich komm' nur von Zeit zu Zeit auf ein paar Tage her.

DAS SÜSSE MÄDEL Ah geh, du bist kein Wiener?

DER GATTE Wiener bin ich schon. Aber ich lebe jetzt in der Nähe …

DAS SÜSSE MÄDEL Wo denn?

DER GATTE Ach Gott, das ist ja egal.

DAS SÜSSE MÄDEL Na, fürcht dich nicht, ich komm' nicht hin.

DER GATTE O Gott, wenn es dir Spaß macht, kannst du auch hinkommen. Ich lebe in Graz.

DAS SÜSSE MÄDEL Im Ernst?

DER GATTE Na ja, was wundert dich denn daran?

DAS SÜSSE MÄDEL Du bist verheiratet, wie?

DER GATTE *höchst erstaunt* Ja, wie kommst du darauf?

DAS SÜSSE MÄDEL Mir ist halt so vorgekommen.

DER GATTE Und das würde dich gar nicht genieren?

DAS SÜSSE MÄDEL Na, lieber ist mir schon, du bist ledig. – Aber du bist ja doch verheiratet! –

DER GATTE Ja, sag mir nur, wie kommst du denn da darauf?

DAS SÜSSE MÄDEL Wenn einer sagt, er lebt nicht in Wien und hat nicht immer Zeit –

DER GATTE Das ist doch nicht so unwahrscheinlich.

DAS SÜSSE MÄDEL Ich glaub's nicht.

DER GATTE Und da möchtest du dir gar kein Gewissen machen, dass du einen Ehemann zur Untreue verführst?

DAS SÜSSE MÄDEL Ah was, deine Frau macht's sicher nicht anders als du.

DER GATTE *sehr empört* Du, das verbiet' ich mir. Solche
Bemerkungen –

DAS SÜSSE MÄDEL Du hast ja keine Frau, hab' ich geglaubt.

DER GATTE Ob ich eine hab' oder nicht – man macht
5   keine solche Bemerkungen. *Er ist aufgestanden.*

DAS SÜSSE MÄDEL Karl, na Karl, was ist denn? Bist bös'?
Schau, ich hab's ja wirklich nicht gewusst, dass du verheiratet bist. Ich hab' ja nur so g'redt. Geh, komm und
sei wieder gut.

10 DER GATTE *kommt nach ein paar Sekunden zu ihr* Ihr seid
wirklich sonderbare Geschöpfe, ihr ... Weiber. *Er wird
wieder zärtlich an ihrer Seite.*

DAS SÜSSE MÄDEL Geh ... nicht ... es ist auch schon so
spät. –

15 DER GATTE Also jetzt hör mir einmal zu. Reden wir einmal im Ernst miteinander. Ich möcht' dich wiedersehen, öfter wiedersehen.

DAS SÜSSE MÄDEL Is wahr?

DER GATTE Aber dazu ist notwendig ... also verlassen
20 muss ich mich auf dich können. Aufpassen kann ich
nicht auf dich.

DAS SÜSSE MÄDEL Ah, ich pass' schon selber auf mich auf.

DER GATTE Du bist ... na also, unerfahren kann man ja
nicht sagen – aber jung bist du – und – die Männer sind
25 im Allgemeinen ein gewissenloses Volk.

DAS SÜSSE MÄDEL O jeh!

DER GATTE Ich mein' das nicht nur in moralischer Hin-
sicht. – Na, du verstehst mich sicher. –

DAS SÜSSE MÄDEL Ja, sag mir, was glaubst du denn eigent-
30 lich von mir?

DER GATTE Also – wenn du mich lieb haben willst – nur
mich – so können wir's uns schon einrichten – wenn
ich auch für gewöhnlich in Graz wohne. Da, wo jeden

Moment wer hereinkommen kann, ist es ja doch nicht das Rechte.

DAS SÜSSE MÄDEL *schmiegt sich an ihn.*

DER GATTE Das nächste Mal ... werden wir woanders zusammen sein, ja?

DAS SÜSSE MÄDEL Ja.

DER GATTE Wo wir ganz ungestört sind.

DAS SÜSSE MÄDEL Ja.

DER GATTE *umfängt sie heiß* Das andere besprechen wir im Nachhausfahren. *Steht auf, öffnet die Tür* Kellner ... die Rechnung!

DAS SÜSSE MÄDEL UND DER DICHTER

*Ein kleines Zimmer, mit behaglichem Geschmack eingerich-
tet. Vorhänge, welche das Zimmer halbdunkel machen. Rote
Stores. Großer Schreibtisch, auf dem Papiere und Bücher her-
umliegen. Ein Pianino an der Wand. – Das süße Mädel.
Der Dichter. – – Sie kommen eben zusammen herein. Der
Dichter schließt zu.*

DER DICHTER So, mein Schatz. *Küsst sie.*

DAS SÜSSE MÄDEL *mit Hut und Mantille* Ah! Da ist aber
schön! Nur sehen tut man nichts!

DER DICHTER Deine Augen müssen sich an das Halbdunkel
gewöhnen. – Diese süßen Augen. *Küsst sie auf die Augen.*

DAS SÜSSE MÄDEL Dazu werden die süßen Augen aber
nicht Zeit genug haben.

DER DICHTER Warum denn?

DAS SÜSSE MÄDEL Weil ich nur einige Minuten dableib'.

DER DICHTER Den Hut leg ab, ja?

DAS SÜSSE MÄDEL Wegen der einen Minuten?

DER DICHTER *nimmt die Nadel aus ihrem Hut und legt den
Hut fort* Und die Mantille –

DAS SÜSSE MÄDEL Was willst denn? – Ich muss ja gleich
wieder fortgehen.

DER DICHTER Aber du musst dich doch ausruhn! Wir sind
ja drei Stunden gegangen.

DAS SÜSSE MÄDEL Wir sind gefahren.

DER DICHTER Ja, nach Haus – aber in Weidling am Bach
sind wir doch drei volle Stunden herumgelaufen. Also
setz dich nur schon nieder, mein Kind … wohin du
willst; – hier an den Schreibtisch; – aber nein, das ist
nicht bequem. Setz dich auf den Diwan. – So. *Er drückt
sie nieder* Bist du sehr müd', so kannst du dich auch hin-

legen. So. *Er legt sie auf den Diwan* Da das Kopferl auf den Polster.

DAS SÜSSE MÄDEL *lachend* Aber ich bin ja gar nicht müd'!

DER DICHTER Das glaubst du nur. So – und wenn du schläfrig bist, kannst du auch schlafen. Ich werde ganz still sein. Übrigens kann ich dir ein Schlummerlied vorspielen … von mir … *Geht zum Pianino.*

DAS SÜSSE MÄDEL Von dir?

DER DICHTER Ja.

DAS SÜSSE MÄDEL Ich hab' 'glaubt, Robert, du bist ein Doktor.

DER DICHTER Wieso? Ich hab' dir doch gesagt, dass ich Schriftsteller bin.

DAS SÜSSE MÄDEL Die Schriftsteller sind doch alle Doktors.

DER DICHTER Nein; nicht alle. Ich z. B. nicht. Aber wie kommst du jetzt darauf.

DAS SÜSSE MÄDEL Na, weil du sagst, das Stück, was du da spielen tust, ist von dir.

DER DICHTER Ja … vielleicht ist es auch nicht von mir. Das ist ja ganz egal. Was? Überhaupt wer's gemacht hat, das ist immer egal. Nur schön muss es sein – nicht wahr?

DAS SÜSSE MÄDEL Freilich … schön muss es sein – das ist die Hauptsach'! –

DER DICHTER Weißt du, wie ich das gemeint hab'?

DAS SÜSSE MÄDEL Was denn?

DER DICHTER Na, was ich eben gesagt hab'.

DAS SÜSSE MÄDEL *schläfrig* Na freilich.

DER DICHTER *steht auf; zu ihr, ihr das Haar streichelnd* Kein Wort hast du verstanden.

DAS SÜSSE MÄDEL Geh, ich bin doch nicht so dumm.

DER DICHTER Freilich bist du so dumm. Aber gerade darum hab' ich dich lieb. Ah, das ist so schön, wenn ihr dumm seid. Ich mein' in der Art wie du.

DAS SÜSSE MÄDEL Geh, was schimpfst denn?

DER DICHTER Engel, kleiner. Nicht wahr, es liegt sich gut auf dem weichen, persischen Teppich?

DAS SÜSSE MÄDEL O ja. Geh, willst nicht weiter Klavier
5   spielen?

DER DICHTER Nein, ich bin schon lieber da bei dir. *Streichelt sie.*

DAS SÜSSE MÄDEL Geh, willst nicht lieber Licht machen?

DER DICHTER O nein ... Diese Dämmerung tut ja so
10   wohl. Wir waren heute den ganzen Tag wie in Sonnenstrahlen gebadet. Jetzt sind wir sozusagen aus dem Bad gestiegen und schlagen ... die Dämmerung wie einen Badmantel *Lacht* ah nein – das muss anders gesagt werden ... Findest du nicht?

15 DAS SÜSSE MÄDEL Weiß nicht.

DER DICHTER *sich leicht von ihr entfernend* Göttlich, diese Dummheit! *Nimmt ein Notizbuch und schreibt ein paar Worte hinein.*

DAS SÜSSE MÄDEL Was machst denn? *Sich nach ihm umwen-*
20   *dend* Was schreibst dir denn auf?

DER DICHTER *leise* Sonne, Bad, Dämmerung, Mantel ... so ... *Steckt das Notizbuch ein. Laut* Nichts ... Jetzt sag einmal, mein Schatz, möchtest du nicht etwas essen oder trinken?

25 DAS SÜSSE MÄDEL Durst hab' ich eigentlich keinen. Aber Appetit.

DER DICHTER Hm ... mir wär' lieber, du hättest Durst. Cognac hab' ich nämlich zu Haus, aber Essen müsste ich erst holen.

30 DAS SÜSSE MÄDEL Kannst nichts holen lassen?

DER DICHTER Das ist schwer, meine Bedienerin ist jetzt nicht mehr da – na wart – ich geh' schon selber ... was magst du denn?

DAS SÜSSE MÄDEL Aber es zahlt sich ja wirklich nimmer aus, ich muss ja sowieso zu Haus.

DER DICHTER Kind, davon ist keine Rede. Aber ich werd' dir was sagen: wenn wir weggehn, gehn wir zusammen wohin nachtmahlen. 5

DAS SÜSSE MÄDEL O nein. Dazu hab' ich keine Zeit. Und dann, wohin sollen wir denn? Es könnt' uns ja wer Bekannter sehn.

DER DICHTER Hast du denn gar so viel Bekannte?

DAS SÜSSE MÄDEL Es braucht uns ja nur einer zu sehn, ist's 10 Malheur schon fertig.

DER DICHTER Was ist denn das für ein Malheur?

DAS SÜSSE MÄDEL Na, was glaubst, wenn die Mutter was hört …

DER DICHTER Wir können ja doch irgendwohin gehen, 15 wo uns niemand sieht, es gibt ja Gasthäuser mit einzelnen Zimmern.

DAS SÜSSE MÄDEL *singend* Ja, beim Souper im chambre separée!

DER DICHTER Warst du schon einmal in einem chambre 20 separée?

DAS SÜSSE MÄDEL Wenn ich die Wahrheit sagen soll – ja.

DER DICHTER Wer war der Glückliche?

DAS SÜSSE MÄDEL Oh, das ist nicht, wie du meinst … ich war mit meiner Freundin und ihrem Bräutigam. Die 25 haben mich mitgenommen.

DER DICHTER So. Und das soll ich dir am End' glauben?

DAS SÜSSE MÄDEL Brauchst mir ja nicht zu glauben!

DER DICHTER *nah bei ihr* Bist du jetzt rot geworden? Man sieht nichts mehr! Ich kann deine Züge nicht mehr aus- 30 nehmen. *Mit seiner Hand berührt er ihre Wangen* Aber auch so erkenn' ich dich.

DAS SÜSSE MÄDEL Na, pass nur auf, dass du mich mit keiner andern verwechselst.

DER DICHTER Es ist seltsam, ich kann mich nicht mehr erinnern, wie du aussiehst.

5 DAS SÜSSE MÄDEL Dank' schön!

DER DICHTER *ernst* Du, das ist beinah unheimlich, ich kann mir dich nicht vorstellen – In einem gewissen Sinne hab' ich dich schon vergessen – Wenn ich mich auch nicht mehr an den Klang deiner Stimme erinnern könnte … was wärst

10 du da eigentlich? – Nah und fern zugleich … unheimlich.

DAS SÜSSE MÄDEL Geh, was red'st denn –?

DER DICHTER Nichts, mein Engel, nichts. Wo sind deine Lippen … *Er küsst sie.*

DAS SÜSSE MÄDEL Willst nicht lieber Licht machen?

15 DER DICHTER Nein … *Er wird sehr zärtlich* Sag, ob du mich lieb hast.

DAS SÜSSE MÄDEL Sehr … o sehr!

DER DICHTER Hast du schon irgendwen so lieb gehabt wie mich?

20 DAS SÜSSE MÄDEL Ich hab' dir ja schon gesagt, nein.

DER DICHTER Aber … *Er seufzt.*

DAS SÜSSE MÄDEL Das ist ja mein Bräutigam gewesen.

DER DICHTER Es wär' mir lieber, du würdest jetzt nicht an ihn denken.

25 DAS SÜSSE MÄDEL Geh … was machst denn … schau …

DER DICHTER Wir können uns jetzt auch vorstellen, dass wir in einem Schloss in Indien sind.

DAS SÜSSE MÄDEL Dort sind s' gewiss nicht so schlimm wie du.

DER DICHTER Wie blöd! Göttlich – Ah, wenn du ahntest,

30 was du für mich bist …

DAS SÜSSE MÄDEL Na?

DER DICHTER Stoß mich doch nicht immer weg; ich tu' dir ja nichts – vorläufig.

DAS SÜSSE MÄDEL Du, das Mieder tut mir weh.

DER DICHTER *einfach* Zieh's aus.

DAS SÜSSE MÄDEL Ja. Aber du darfst deswegen nicht schlimm werden.

DER DICHTER Nein.

DAS SÜSSE MÄDEL *hat sich erhoben und zieht in der Dunkelheit ihr Mieder aus.*

DER DICHTER *der währenddessen auf dem Diwan sitzt* Sag, interessiert's dich denn gar nicht, wie ich mit dem Zunamen heiß'?

DAS SÜSSE MÄDEL Ja, wie heißt du denn?

DER DICHTER Ich werd' dir lieber nicht sagen, wie ich heiß', sondern wie ich mich nenne.

DAS SÜSSE MÄDEL Was ist denn da für ein Unterschied?

DER DICHTER Na, wie ich mich als Schriftsteller nenne.

DAS SÜSSE MÄDEL Ah, du schreibst nicht unter deinem wirklichen Namen?

DER DICHTER *nah zu ihr.*

DAS SÜSSE MÄDEL Ah … geh! … Nicht.

DER DICHTER Was einem da für ein Duft entgegensteigt. Wie süß. *Er küsst ihren Busen.*

DAS SÜSSE MÄDEL Du zerreißt ja mein Hemd.

DER DICHTER … weg … alles das ist überflüssig.

DAS SÜSSE MÄDEL Aber Robert!

DER DICHTER Und jetzt komm in unser indisches Schloss.

DAS SÜSSE MÄDEL Sag mir zuerst, ob du mich wirklich lieb hast.

DER DICHTER Aber ich bete dich ja an. *Küsst sie heiß* Ich bete dich ja an, mein Schatz, mein Frühling … mein …

DAS SÜSSE MÄDEL Robert … Robert …

— —

DER DICHTER Das war überirdische Seligkeit … Ich nenne
mich …

DAS SÜSSE MÄDEL Robert, o mein Robert!

DER DICHTER Ich nenne mich Biebitz.

5 DAS SÜSSE MÄDEL Warum nennst du dich Biebitz?

DER DICHTER Ich heiße nicht Biebitz – ich nenne mich
so … nun, kennst du den Namen vielleicht nicht?

DAS SÜSSE MÄDEL Nein.

DER DICHTER Du kennst den Namen Biebitz nicht? Ah –

10 göttlich! Wirklich? Du sagst es nur, dass du ihn nicht
kennst, nicht wahr?

DAS SÜSSE MÄDEL Meiner Seel', ich hab' ihn nie gehört!

DER DICHTER Gehst du denn nie ins Theater?

DAS SÜSSE MÄDEL O ja – ich war erst neulich mit einem –

15 weißt, mit dem Onkel von meiner Freundin und meiner Freundin sind wir in der Oper gewesen bei der
›Cavalleria‹.

DER DICHTER Hm, also ins Burgtheater gehst du nie.

DAS SÜSSE MÄDEL Da krieg' ich nie Karten geschenkt.

20 DER DICHTER Ich werde dir nächstens eine Karte schicken.

DAS SÜSSE MÄDEL O ja! Aber nicht vergessen! Zu was Lus-
tigem aber.

DER DICHTER Ja … lustig … zu was Traurigem willst du
nicht gehn?

25 DAS SÜSSE MÄDEL Nicht gern.

DER DICHTER Auch wenn's ein Stück von mir ist?

DAS SÜSSE MÄDEL Geh – ein Stück von dir? Du schreibst
fürs Theater?

DER DICHTER Erlaube, ich will nur Licht machen. Ich

30 habe dich noch nicht gesehen, seit du meine Geliebte
bist. – Engel! *Er zündet eine Kerze an.*

DAS SÜSSE MÄDEL Geh, ich schäm' mich ja. Gib mir wenigstens eine Decke.

DER DICHTER Später! *Er kommt mit dem Licht zu ihr, betrachtet sie lang.*

DAS SÜSSE MÄDEL *bedeckt ihr Gesicht mit den Händen* Geh, Robert!

DER DICHTER Du bist schön, du bist die Schönheit, du bist vielleicht sogar die Natur, du bist die heilige Einfalt.

DAS SÜSSE MÄDEL O weh, du tropfst mich ja an! Schau, was gibst denn nicht acht!

DER DICHTER *stellt die Kerze weg* Du bist das, was ich seit Langem gesucht habe. Du liebst nur mich, du würdest mich auch lieben, wenn ich Schnittwarencommis wäre. Das tut wohl. Ich will dir gestehen, dass ich einen gewissen Verdacht bis zu diesem Moment nicht losgeworden bin. Sag ehrlich, hast du nicht geahnt, dass ich Biebitz bin?

DAS SÜSSE MÄDEL Aber geh, ich weiß gar nicht, was du von mir willst. Ich kenn' ja gar kein' Biebitz.

DER DICHTER Was ist der Ruhm! Nein, vergiss, was ich gesagt habe, vergiss sogar den Namen, den ich dir gesagt hab'. Robert bin ich und will ich für dich bleiben. Ich hab' auch nur gescherzt. *Leicht* Ich bin ja nicht Schriftsteller, ich bin Commis, und am Abend spiel' ich bei Volkssängern Klavier.

DAS SÜSSE MÄDEL Ja, jetzt kenn' ich mich aber nicht mehr aus … nein, und wie du einen nur anschaust. Ja, was ist denn, ja was hast denn?

DER DICHTER Es ist sehr sonderbar – was mir beinah noch nie passiert ist, mein Schatz, mir sind die Tränen nah. Du ergreifst mich tief. Wir wollen zusammenbleiben, ja? Wir werden einander sehr lieb haben.

DAS SÜSSE MÄDEL Du, ist das wahr mit den Volkssängern?

DER DICHTER Ja, aber frag nicht weiter. Wenn du mich lieb hast, frag überhaupt nichts. Sag, kannst du dich auf ein paar Wochen ganz frei machen?

DAS SÜSSE MÄDEL Wieso ganz frei?

DER DICHTER Nun, vom Hause weg?

DAS SÜSSE MÄDEL Aber!! Wie kann ich das! Was möcht'die
Mutter sagen? Und dann, ohne mich ging' ja alles schief
5   zu Haus.

DER DICHTER Ich hatte es mir schön vorgestellt, mit dir
zusammen, allein mit dir, irgendwo in der Einsamkeit
draußen, im Wald, in der Natur ein paar Wochen zu
leben. Natur … in der Natur. Und dann, eines Tages
10   adieu – voneinandergehen, ohne zu wissen, wohin.

DAS SÜSSE MÄDEL Jetzt red'st schon vom Adieusagen! Und
ich hab' gemeint, dass du mich so gern hast.

DER DICHTER Gerade darum – *Beugt sich zu ihr und küsst
sie auf die Stirn* Du süßes Geschöpf!

15 DAS SÜSSE MÄDEL Geh, halt mich fest, mir ist so kalt.

DER DICHTER Es wird Zeit sein, dass du dich ankleidest.
Warte, ich zünde dir noch ein paar Kerzen an.

DAS SÜSSE MÄDEL *erhebt sich* Nicht herschauen.

DER DICHTER Nein. *Am Fenster* Sag mir, mein Kind, bist
20   du glücklich?

DAS SÜSSE MÄDEL Wie meinst das?

DER DICHTER Ich mein' im Allgemeinen, ob du glücklich
bist?

DAS SÜSSE MÄDEL Es könnt' schon besser gehen.

25 DER DICHTER Du missverstehst mich. Von deinen häus-
lichen Verhältnissen hast du mir ja schon genug erzählt.
Ich weiß, dass du keine Prinzessin bist. Ich mein', wenn
du von alledem absiehst, wenn du dich einfach leben
spürst. Spürst du dich überhaupt leben?

30 DAS SÜSSE MÄDEL Geh, hast kein' Kamm?

DER DICHTER *geht zum Toilettentisch, gibt ihr den Kamm, betrachtet das süße Mädel* Herrgott, siehst du so entzückend
aus!

DAS SÜSSE MÄDEL Na … nicht!

DER DICHTER Geh, bleib noch da, bleib da, ich hol' was zum Nachtmahl und …

DAS SÜSSE MÄDEL Aber es ist ja schon viel zu spät.

DER DICHTER Es ist noch nicht neun. 5

DAS SÜSSE MÄDEL Na, sei so gut, da muss ich mich aber tummeln.

DER DICHTER Wann werden wir uns denn wiedersehen?

DAS SÜSSE MÄDEL Na, wann willst mich denn wiedersehen?

DER DICHTER Morgen. 10

DAS SÜSSE MÄDEL Was ist denn morgen für ein Tag?

DER DICHTER Samstag.

DAS SÜSSE MÄDEL Oh, da kann ich nicht, da muss ich mit meiner kleinen Schwester zum Vormund.

DER DICHTER Also Sonntag … hm … Sonntag … am 15 Sonntag … jetzt werd' ich dir was erklären. – Ich bin nicht Biebitz, aber Biebitz ist mein Freund. Ich werd' dir ihn einmal vorstellen. Aber Sonntag ist das Stück von Biebitz; ich werd' dir eine Karte schicken und werde dich dann vom Theater abholen. Du wirst mir 20 sagen, wie dir das Stück gefallen hat; ja?

DAS SÜSSE MÄDEL Jetzt, die G'schicht' mit dem Biebitz – da bin ich schon ganz blöd'.

DER DICHTER Völlig werd' ich dich erst erkennen, wenn ich weiß, was du bei diesem Stück empfunden hast. 25

DAS SÜSSE MÄDEL So … ich bin fertig.

DER DICHTER Komm, mein Schatz! *Sie gehen.*

DER DICHTER UND DIE SCHAUSPIELERIN

Ein Zimmer in einem Gasthof auf dem Land. – Es ist ein
Frühlingsabend; über den Wiesen und Hügeln liegt der
Mond; die Fenster stehen offen. – Große Stille. – Der Dich-
5 *ter und die Schauspielerin treten ein; wie sie hereintreten,*
verlöscht das Licht, das der Dichter in der Hand hält. –

DICHTER Oh …

SCHAUSPIELERIN Was ist denn?

DICHTER Das Licht. – Aber wir brauchen keins. Schau, es
10   ist ganz hell. Wunderbar!

SCHAUSPIELERIN *sinkt am Fenster plötzlich nieder, mit gefalte-*
    ten Händen.

DICHTER Was hast du denn?

SCHAUSPIELERIN *Schweigt.*

15 DICHTER *zu ihr hin* Was machst du denn?

SCHAUSPIELERIN *empört* Siehst du nicht, dass ich bete? –

DICHTER Glaubst du an Gott?

SCHAUSPIELERIN Gewiss, ich bin ja kein blasser Schurke.

DICHTER Ach so!

20 SCHAUSPIELERIN Komm doch zu mir, knie dich neben
    mich hin. Kannst wirklich auch einmal beten. Wird dir
    keine Perle aus der Krone fallen.

DICHTER *kniet neben sie hin und umfasst sie.*

SCHAUSPIELERIN Wüstling! – *Erhebt sich* Und weißt du
25   auch, zu wem ich gebetet habe?

DICHTER Zu Gott, nehm' ich an.

SCHAUSPIELERIN *Großer Hohn* Jawohl! Zu dir hab' ich gebetet.

DICHTER Warum hast du denn da zum Fenster hinaus-
    geschaut?

30 SCHAUSPIELERIN Sag mir lieber, wo du mich da hinge-
    schleppt hast, Verführer!

DICHTER Aber Kind, das war ja deine Idee. Du wolltest ja aufs Land – und gerade hierher.

SCHAUSPIELERIN Nun, hab' ich nicht recht gehabt?

DICHTER Gewiss; es ist ja entzückend hier. Wenn man bedenkt, zwei Stunden von Wien – und die völlige Einsamkeit. Und was für eine Gegend!

SCHAUSPIELERIN Was? Da könntest du wohl mancherlei dichten, wenn du zufällig Talent hättest.

DICHTER Warst du hier schon einmal?

SCHAUSPIELERIN Ob ich hier schon war? Ha! Hier hab' ich jahrelang gelebt!

DICHTER Mit wem?

SCHAUSPIELERIN Nun, mit Fritz natürlich.

DICHTER Ach so!

SCHAUSPIELERIN Den Mann hab' ich wohl angebetet! –

DICHTER Das hast du mir bereits erzählt.

SCHAUSPIELERIN Ich bitte – ich kann auch wieder gehen, wenn ich dich langweile!

DICHTER Du mich langweilen? … Du ahnst ja gar nicht, was du für mich bedeutest … Du bist eine Welt für sich … Du bist das Göttliche, du bist das Genie … Du bist … Du bist eigentlich die heilige Einfalt … Ja, du … Aber du solltest jetzt nicht von Fritz reden.

SCHAUSPIELERIN Das war wohl eine Verirrung! Na! –

DICHTER Es ist schön, dass du das einsiehst.

SCHAUSPIELERIN Komm her, gib mir einen Kuss!

DICHTER *küsst sie.*

SCHAUSPIELERIN Jetzt wollen wir uns aber eine gute Nacht sagen! Leb wohl, mein Schatz!

DICHTER Wie meinst du das?

SCHAUSPIELERIN Nun, ich werde mich schlafen legen!

DICHTER Ja – das schon, aber was das gute Nacht Sagen anbelangt … Wo soll denn ich übernachten?

SCHAUSPIELERIN Es gibt gewiss noch viele Zimmer in diesem Haus.

DICHTER Die anderen haben aber keinen Reiz für mich. Jetzt werd' ich übrigens Licht machen, meinst du nicht?

5 SCHAUSPIELERIN Ja.

DICHTER *zündet das Licht an, das auf dem Nachtkästchen steht* Was für ein hübsches Zimmer … und fromm sind die Leute hier. Lauter Heiligenbilder … Es wäre interessant, eine Zeit unter diesen Menschen zu verbringen … doch
10 eine andre Welt. Wir wissen eigentlich so wenig von den andern.

SCHAUSPIELERIN Rede keinen Stiefel und reiche mir lieber diese Tasche vom Tisch herüber.

DICHTER Hier, meine Einzige!

15 SCHAUSPIELERIN *nimmt aus dem Täschchen ein kleines, gerahmtes Bildchen, stellt es auf das Nachtkästchen.*

DICHTER Was ist das?

SCHAUSPIELERIN Das ist die Madonna.

DICHTER Die hast du immer mit?

20 SCHAUSPIELERIN Die ist doch mein Talisman. Und jetzt geh, Robert!

DICHTER Aber was sind das für Scherze? Soll ich dir nicht helfen?

SCHAUSPIELERIN Nein, du sollst jetzt gehn.

25 DICHTER Und wann soll ich wiederkommen?

SCHAUSPIELERIN In zehn Minuten.

DICHTER *küsst sie* Auf Wiedersehen!

SCHAUSPIELERIN Wo willst du denn hin?

DICHTER Ich werde vor dem Fenster auf und ab gehen.
30 Ich liebe es sehr, nachts im Freien herumzuspazieren. Meine besten Gedanken kommen mir so. Und gar in deiner Nähe, von deiner Sehnsucht sozusagen umhaucht … in deiner Kunst webend.

SCHAUSPIELERIN Du redest wie ein Idiot ...

DICHTER *schmerzlich* Es gibt Frauen, welche vielleicht sagen würden ... wie ein Dichter.

SCHAUSPIELERIN Nun geh endlich. Aber fang mir kein Verhältnis mit der Kellnerin an. – 5

DICHTER *geht.*

SCHAUSPIELERIN *kleidet sich aus. Sie hört, wie der Dichter über die Holztreppe hinuntergeht, und hört jetzt seine Schritte unter dem Fenster. Sie geht, sobald sie ausgekleidet ist, zum Fenster, sieht hinunter, er steht da; sie ruft flüsternd hinunter* 10 Komm!

DICHTER *kommt rasch herauf; stürzt zu ihr, die sich unterdessen ins Bett gelegt und das Licht ausgelöscht hat; er sperrt ab.*

SCHAUSPIELERIN So, jetzt kannst du dich zu mir setzen und mir was erzählen. 15

DICHTER *setzt sich zu ihr aufs Bett* Soll ich nicht das Fenster schließen? Ist dir nicht kalt?

SCHAUSPIELERIN O nein!

DICHTER Was soll ich dir denn erzählen?

SCHAUSPIELERIN Nun, wem bist du in diesem Moment 20 untreu?

DICHTER Ich bin es ja leider noch nicht.

SCHAUSPIELERIN Nun, tröste dich, ich betrüge auch jemanden.

DICHTER Das kann ich mir denken. 25

SCHAUSPIELERIN Und was glaubst du, wen?

DICHTER Ja, Kind, davon kann ich keine Ahnung haben.

SCHAUSPIELERIN Nun, rate.

DICHTER Warte ... Na, deinen Direktor.

SCHAUSPIELERIN Mein Lieber, ich bin keine Choristin. 30

DICHTER Nun, ich dachte nur.

SCHAUSPIELERIN Rate noch einmal.

DICHTER Also du betrügst deinen Kollegen ... Benno –

SCHAUSPIELERIN Ha! Der Mann liebt ja überhaupt keine Frauen ... weißt du das nicht? Der Mann hat ja ein Verhältnis mit seinem Briefträger!

DICHTER Ist das möglich! –

5 SCHAUSPIELERIN So gib mir lieber einen Kuss!

DICHTER *umschlingt sie.*

SCHAUSPIELERIN Aber was tust du denn?

DICHTER So quäl mich doch nicht so.

SCHAUSPIELERIN Höre, Robert, ich werde dir einen Vor-
10 schlag machen. Leg dich zu mir ins Bett.

DICHTER Angenommen!

SCHAUSPIELERIN Komm schnell, komm schnell!

DICHTER Ja ... wenn es nach mir gegangen wäre, wär' ich schon längst ... Hörst du ...

15 SCHAUSPIELERIN Was denn?

DICHTER Draußen zirpen die Grillen.

SCHAUSPIELERIN Du bist wohl wahnsinnig, mein Kind, hier gibt es ja keine Grillen.

DICHTER Aber du hörst sie doch.

20 SCHAUSPIELERIN Nun, so komm, endlich!

DICHTER Da bin ich. *Zu ihr.*

SCHAUSPIELERIN So, jetzt bleib schön ruhig liegen ... Pst ... nicht rühren.

DICHTER Ja, was fällt dir denn ein?

25 SCHAUSPIELERIN Du möchtest wohl gerne ein Verhältnis mit mir haben?

DICHTER Das dürfte dir doch bereits klar sein.

SCHAUSPIELERIN Nun, das möchte wohl mancher ...

DICHTER Es ist aber doch nicht zu bezweifeln, dass in
30 diesem Moment ich die meisten Chancen habe.

SCHAUSPIELERIN So komm, meine Grille! Ich werde dich von nun an Grille nennen.

DICHTER Schön ...

SCHAUSPIELERIN Nun, wen betrüg' ich?

DICHTER Wen? ... Vielleicht mich ...

SCHAUSPIELERIN Mein Kind, du bist schwer gehirnleidend.

DICHTER Oder einen ... den du selbst nie gesehen ... einen, den du nicht kennst, einen – der für dich bestimmt ist und den du nie finden kannst ...

SCHAUSPIELERIN Ich bitte dich, rede nicht so märchenhaft blöd.

DICHTER ... Ist es nicht sonderbar, ... auch du – und man sollte doch glauben. – Aber nein, es hieße dir dein Bestes rauben, wollte man dir ... komm, komm – komm –

– –

SCHAUSPIELERIN Das ist doch schöner, als in blödsinnigen Stücken spielen ... was meinst du?

DICHTER Nun, ich mein', es ist gut, dass du doch zuweilen in vernünftigen zu spielen hast.

SCHAUSPIELERIN Du arroganter Hund meinst gewiss wieder das deine?

DICHTER Jawohl!

SCHAUSPIELERIN *ernst* Das ist wohl ein herrliches Stück!

DICHTER Nun also!

SCHAUSPIELERIN Ja, du bist ein großes Genie, Robert!

DICHTER Bei dieser Gelegenheit könntest du mir übrigens sagen, warum du vorgestern abgesagt hast. Es hat dir doch absolut gar nichts gefehlt.

SCHAUSPIELERIN Nun, ich wollte dich ärgern.

DICHTER Ja, warum denn? Was hab' ich dir denn getan?

SCHAUSPIELERIN Arrogant bist du gewesen.

DICHTER Wieso?

SCHAUSPIELERIN Alle im Theater finden es.

DICHTER So.

SCHAUSPIELERIN Aber ich hab' ihnen gesagt: Der Mann hat wohl ein Recht, arrogant zu sein.

DICHTER Und was haben die anderen geantwortet?

SCHAUSPIELERIN Was sollen mir denn die Leute antworten? Ich rede ja mit keinem.

DICHTER Ach so.

SCHAUSPIELERIN Sie möchten mich am liebsten alle vergiften. Aber das wird ihnen nicht gelingen.

DICHTER Denke jetzt nicht an die anderen Menschen. Freue dich lieber, dass wir hier sind, und sage mir, dass du mich lieb hast.

SCHAUSPIELERIN Verlangst du noch weitere Beweise?

DICHTER Bewiesen kann das überhaupt nicht werden.

SCHAUSPIELERIN Das ist aber großartig! Was willst du denn noch?

DICHTER Wie vielen hast du es schon auf diese Art beweisen wollen ... hast du alle geliebt?

SCHAUSPIELERIN O nein. Geliebt hab' ich nur einen.

DICHTER *umarmt sie* Mein ...

SCHAUSPIELERIN Fritz.

DICHTER Ich heiße Robert. Was bin denn ich für dich, wenn du jetzt an Fritz denkst?

SCHAUSPIELERIN Du bist eine Laune.

DICHTER Gut, dass ich es weiß.

SCHAUSPIELERIN Nun sag, bist du nicht stolz?

DICHTER Ja, weshalb soll ich denn stolz sein?

SCHAUSPIELERIN Ich denke, dass du wohl einen Grund dazu hast.

DICHTER Ach deswegen.

SCHAUSPIELERIN Jawohl, deswegen, meine blasse Grille! – Nun, wie ist das mit dem Zirpen? Zirpen sie noch?

DICHTER Ununterbrochen. Hörst du's denn nicht?

SCHAUSPIELERIN Freilich hör' ich. Aber das sind Frösche, mein Kind.

DICHTER Du irrst dich; die quaken.

SCHAUSPIELERIN Gewiss quaken sie.

DICHTER Aber nicht hier, mein Kind, hier wird gezirpt.   5

SCHAUSPIELERIN Du bist wohl das Eigensinnigste, was mir je untergekommen ist. Gib mir einen Kuss, mein Frosch!

DICHTER Bitte sehr, nenn mich nicht so. Das macht mich direkt nervös.

SCHAUSPIELERIN Nun, wie soll ich dich nennen?   10

DICHTER Ich hab' doch einen Namen: Robert.

SCHAUSPIELERIN Ach, das ist zu dumm.

DICHTER Ich bitte dich aber, mich einfach so zu nennen, wie ich heiße.

SCHAUSPIELERIN Also Robert, gib mir einen Kuss … Ah!   15
Sie küsst ihn Bist du jetzt zufrieden, Frosch? Hahahaha.

DICHTER Würdest du mir erlauben, mir eine Zigarette anzuzünden?

SCHAUSPIELERIN Gib mir auch eine.

Er nimmt die Zigarettentasche vom Nachtkästchen, entnimmt ihr   20
zwei Zigaretten, zündet beide an, gibt ihr eine.

SCHAUSPIELERIN Du hast mir übrigens noch kein Wort über meine gestrige Leistung gesagt.

DICHTER Über welche Leistung?

SCHAUSPIELERIN Nun.   25

DICHTER Ach so. Ich war nicht im Theater.

SCHAUSPIELERIN Du beliebst wohl zu scherzen.

DICHTER Durchaus nicht. Nachdem du vorgestern abgesagt hast, habe ich angenommen, dass du auch gestern noch nicht im Vollbesitze deiner Kräfte sein würdest,   30
und da hab' ich lieber verzichtet.

SCHAUSPIELERIN Du hast wohl viel versäumt.

DICHTER So.

SCHAUSPIELERIN Es war sensationell. Die Menschen sind blass geworden.

DICHTER Hast du das deutlich bemerkt?

SCHAUSPIELERIN Benno sagte: Kind, du hast gespielt wie eine Göttin.

DICHTER Hm! … Und vorgestern noch so krank.

SCHAUSPIELERIN Jawohl; ich war es auch. Und weißt du warum? Vor Sehnsucht nach dir.

DICHTER Früher hast du mir erzählt, du wolltest mich ärgern, und hast darum abgesagt.

SCHAUSPIELERIN Aber was weißt du von meiner Liebe zu dir. Dich lässt das ja alles kalt. Und ich bin schon nächtelang im Fieber gelegen. Vierzig Grad!

DICHTER Für eine Laune ist das ziemlich hoch.

SCHAUSPIELERIN Laune nennst du das? Ich sterbe vor Liebe zu dir, und du nennst es Laune −?!

DICHTER Und Fritz …?

SCHAUSPIELERIN Fritz? … Rede mir nicht von diesem Galeerensträfling! −

Die Schauspielerin und der Graf

Das Schlafzimmer der Schauspielerin. Sehr üppig eingerichtet.
Es ist zwölf Uhr mittags; die Rouleaux sind noch herunter-
gelassen; auf dem Nachtkästchen brennt eine Kerze, die
Schauspielerin liegt noch in ihrem Himmelbett. Auf der Decke 5
liegen zahlreiche Zeitungen. – Der Graf tritt ein in der Uni-
form eines Dragonerrittmeisters. Er bleibt an der Tür stehen. –

SCHAUSPIELERIN Ah, Herr Graf.
GRAF Die Frau Mama hat mir erlaubt, sonst wär' ich nicht –
SCHAUSPIELERIN Bitte, treten Sie nur näher. 10
GRAF Küss' die Hand. Pardon – wenn man von der Straßen
    hereinkommt … ich seh' nämlich noch rein gar nichts.
    So … da wären wir ja. *Am Bett* Küss' die Hand.
SCHAUSPIELERIN Nehmen Sie Platz, Herr Graf.
GRAF Frau Mama sagte mir, Fräulein sind unpässlich … 15
    Wird doch hoffentlich nichts Ernstes sein.
SCHAUSPIELERIN Nichts Ernstes? Ich bin dem Tode nahe
    gewesen!
GRAF Um Gottes willen, wie ist denn das möglich?
SCHAUSPIELERIN Es ist jedenfalls sehr freundlich, dass Sie 20
    sich zu mir bemühen.
GRAF Dem Tode nahe! Und gestern Abend haben Sie
    noch gespielt wie eine Göttin.
SCHAUSPIELERIN Es war wohl ein großer Triumph.
GRAF Kolossal! … Die Leute waren auch alle hingerissen. 25
    Und von mir will ich gar nicht reden.
SCHAUSPIELERIN Ich danke für die schönen Blumen.
GRAF Aber bitt' Sie, Fräulein.
SCHAUSPIELERIN *mit den Augen auf einen großen Blumenkorb*
    weisend, der auf einem kleinen Tischchen am Fenster steht 30
    Hier stehen sie.

GRAF Sie sind gestern förmlich überschüttet worden mit Blumen und Kränzen.

SCHAUSPIELERIN Das liegt noch alles in meiner Garderobe. Nur Ihren Korb habe ich mit nach Hause gebracht.

5 GRAF *küsst ihr die Hand* Das ist lieb von Ihnen.

SCHAUSPIELERIN *nimmt die seine plötzlich und küsst sie.*

GRAF Aber Fräulein.

SCHAUSPIELERIN Erschrecken Sie nicht, Herr Graf, das verpflichtet Sie zu gar nichts.

10 GRAF Sie sind ein sonderbares Wesen … rätselhaft könnte man fast sagen. – *Pause.*

SCHAUSPIELERIN Das Fräulein Birken ist wohl leichter aufzulösen.

GRAF Ja, die kleine Birken ist kein Problem, obzwar …

15 ich kenne sie ja auch nur oberflächlich.

SCHAUSPIELERIN Ha!

GRAF Sie können mir's glauben. Aber Sie sind ein Problem. Danach hab' ich immer Sehnsucht gehabt. Es ist mir eigentlich ein großer Genuss entgangen, dadurch, dass

20 ich Sie gestern … das erste Mal spielen gesehen habe.

SCHAUSPIELERIN Ist das möglich?

GRAF Ja. Schauen Sie, Fräulein, es ist so schwer mit dem Theater. Ich bin gewöhnt, spät zu dinieren … also wenn man dann hinkommt, ist's Beste vorbei. Ist's

25 nicht wahr?

SCHAUSPIELERIN So werden Sie eben von jetzt an früher essen.

GRAF Ja, ich hab' auch schon daran gedacht. Oder gar nicht. Es ist ja wirklich kein Vergnügen, das Dinieren.

30 SCHAUSPIELERIN Was kennen Sie jugendlicher Greis eigentlich noch für ein Vergnügen?

GRAF Das frag' ich mich selber manchmal! Aber ein Greis bin ich nicht. Es muss einen anderen Grund haben.

SCHAUSPIELERIN Glauben Sie?

GRAF Ja. Der Lulu sagt beispielsweise, ich bin ein Philosoph. Wissen Sie, Fräulein, er meint, ich denk' zu viel nach.

SCHAUSPIELERIN Ja ... denken, das ist das Unglück.

GRAF Ich hab' zu viel Zeit, drum denk' ich nach. Bitt' Sie, 5
Fräulein, schauen S', ich hab' mir gedacht, wenn s' mich nach Wien transferieren, wird's besser. Da gibt's Zerstreuung, Anregung. Aber es ist im Grund doch nicht anders als da oben.

SCHAUSPIELERIN Wo ist denn das da oben? 10

GRAF Na, da unten, wissen S', Fräulein, in Ungarn, in die Nester, wo ich meistens in Garnison war.

SCHAUSPIELERIN Ja, was haben Sie denn in Ungarn gemacht?

GRAF Na, wie ich sag', Fräulein, Dienst.

SCHAUSPIELERIN Ja, warum sind Sie denn so lang in Un- 15
garn geblieben?

GRAF Ja, das kommt so.

SCHAUSPIELERIN Da muss man ja wahnsinnig werden.

GRAF Warum denn? Zu tun hat man eigentlich mehr wie da. Wissen S', Fräulein, Rekruten ausbilden, Remon- 20
ten reiten ... und dann ist's nicht so arg mit der Gegend, wie man sagt. Es ist schon ganz was Schönes, die Tiefebene – und so ein Sonnenuntergang, es ist schade, dass ich kein Maler bin, ich hab' mir manchmal gedacht, wenn ich ein Maler wär', tät' ich's malen. Einen 25
haben wir gehabt beim Regiment, einen jungen Splany, der hat's können. – Aber was erzähl' ich Ihnen da für fade G'schichten, Fräulein.

SCHAUSPIELERIN O bitte, ich amüsiere mich königlich.

GRAF Wissen S', Fräulein, mit Ihnen kann man plaudern, 30
das hat mir der Lulu schon g'sagt, und das ist's, was man selten find't.

SCHAUSPIELERIN Nun freilich, in Ungarn.

GRAF Aber in Wien grad so! Die Menschen sind überall
dieselben; da wo mehr sind, ist halt das Gedräng' grö-
ßer, das ist der ganze Unterschied. Sagen S', Fräulein,
haben Sie die Menschen eigentlich gern?

5 SCHAUSPIELERIN Gern −?? Ich hasse sie! Ich kann keine
sehn! Ich seh' auch nie jemanden. Ich bin immer allein,
dieses Haus betritt niemand.

GRAF Sehn S', das hab' ich mir gedacht, dass Sie eigentlich
eine Menschenfeindin sind. Bei der Kunst muss das oft
10 vorkommen. Wenn man so in den höheren Regio-
nen ... na, Sie haben 's gut. Sie wissen doch wenigstens, warum Sie leben!

SCHAUSPIELERIN Wer sagt Ihnen das? Ich habe keine Ahnung, wozu ich lebe!

15 GRAF Ich bitt' Sie, Fräulein − berühmt − gefeiert −

SCHAUSPIELERIN Ist das vielleicht ein Glück?

GRAF Glück? Bitt' Sie, Fräulein, Glück gibt's nicht. Überhaupt gerade die Sachen, von denen am meisten g'redt
wird, gibt's nicht ... z. B. Liebe. Das ist auch so was.

20 SCHAUSPIELERIN Da haben Sie wohl recht.

GRAF Genuss ... Rausch ... also gut, da lässt sich nichts
sagen ... das ist was Sicheres. Jetzt genieße ich ... gut,
weiß ich, ich genieß'. Oder ich bin berauscht, schön.
Das ist auch sicher. Und ist's vorbei, so ist es halt vorbei!

25 SCHAUSPIELERIN *groß* Es ist vorbei!

GRAF Aber sobald man sich nicht, wie soll ich mich denn
ausdrücken, sobald man sich nicht dem Moment hin-
gibt, also an später denkt oder an früher ... na, ist es doch
gleich aus. Später ... ist traurig ... früher ist ungewiss ...
30 mit einem Wort ... man wird nur konfus. Hab' ich nicht
recht?

SCHAUSPIELERIN *nickt mit großen Augen* Sie haben wohl den
Sinn erfasst.

GRAF Und sehen S', Fräulein, wenn einem das einmal klar geworden ist, ist's ganz egal, ob man in Wien lebt oder in der Puszta oder in Steinamanger. Schaun S' zum Beispiel ... wo darf ich denn die Kappen hinlegen? So, ich dank' schön ... wovon haben wir denn nur gesprochen? 5

SCHAUSPIELERIN Von Steinamanger.

GRAF Richtig. Also wie ich sag', der Unterschied ist nicht groß. Ob ich am Abend im Kasino sitz' oder im Klub, ist doch alles eins.

SCHAUSPIELERIN Und wie verhält sich denn das mit der 10 Liebe?

GRAF Wenn man dran glaubt, ist immer eine da, die einen gern hat.

SCHAUSPIELERIN Zum Beispiel das Fräulein Birken.

GRAF Ich weiß wirklich nicht, Fräulein, warum Sie immer 15 auf die kleine Birken zu reden kommen.

SCHAUSPIELERIN Das ist doch Ihre Geliebte.

GRAF Wer sagt denn das?

SCHAUSPIELERIN Jeder Mensch weiß das.

GRAF Nur ich nicht, es ist merkwürdig. 20

SCHAUSPIELERIN Sie haben doch ihretwegen ein Duell gehabt!

GRAF Vielleicht bin ich sogar totgeschossen worden und hab's gar nicht bemerkt.

SCHAUSPIELERIN Nun, Herr Graf, Sie sind ein Ehren- 25 mann. Setzen Sie sich näher.

GRAF Bin so frei.

SCHAUSPIELERIN Hierher. *Sie zieht ihn an sich, fährt ihm mit der Hand durch die Haare* Ich hab' gewusst, dass Sie heute kommen werden! 30

GRAF Wieso denn?

SCHAUSPIELERIN Ich hab' es bereits gestern im Theater gewusst.

GRAF Haben Sie mich denn von der Bühne aus gesehen?

SCHAUSPIELERIN Aber Mann! Haben Sie denn nicht bemerkt, dass ich nur für Sie spiele?

GRAF Wie ist das denn möglich?

SCHAUSPIELERIN Ich bin ja so geflogen, wie ich Sie in der
5 ersten Reihe sitzen sah!

GRAF Geflogen? Meinetwegen? Ich hab' keine Ahnung gehabt, dass Sie mich bemerken!

SCHAUSPIELERIN Sie können einen auch mit Ihrer Vornehmheit zur Verzweiflung bringen.

10 GRAF Ja, Fräulein ...

SCHAUSPIELERIN »Ja, Fräulein«! ... So schnallen Sie doch wenigstens Ihren Säbel ab!

GRAF Wenn es erlaubt ist. *Schnallt ihn ab, lehnt ihn ans Bett.*

SCHAUSPIELERIN Und gib mir endlich einen Kuss.

15 GRAF *küsst sie, sie lässt ihn nicht los.*

SCHAUSPIELERIN Dich hätte ich auch lieber nie erblicken sollen.

GRAF Es ist doch besser so –

SCHAUSPIELERIN Herr Graf, Sie sind ein Poseur!

20 GRAF Ich – warum denn?

SCHAUSPIELERIN Was glauben Sie, wie glücklich wär' mancher, wenn er an Ihrer Stelle sein dürfte!

GRAF Ich bin sehr glücklich.

SCHAUSPIELERIN Nun, ich dachte, es gibt kein Glück. Wie
25 schaust du mich denn an? Ich glaube, Sie haben Angst vor mir, Herr Graf!

GRAF Ich sag's ja, Fräulein, Sie sind ein Problem.

SCHAUSPIELERIN Ach, lass du mich in Frieden mit der Philosophie ... komm zu mir. Und jetzt bitt' mich um ir-
30 gendwas ... du kannst alles haben, was du willst. Du bist zu schön.

GRAF Also, ich bitte um die Erlaubnis, *Ihre Hand küssend* dass ich heute abends wiederkommen darf.

SCHAUSPIELERIN Heut Abend ... ich spiele ja.

GRAF Nach dem Theater.

SCHAUSPIELERIN Um was anderes bittest du nicht?

GRAF Um alles andere werde ich nach dem Theater bitten.

SCHAUSPIELERIN *verletzt* Da kannst du lange bitten, du   5
elender Poseur.

GRAF Ja, schauen Sie, oder schau, wir sind doch bis jetzt so
aufrichtig miteinander gewesen ... Ich fände das alles
viel schöner am Abend nach dem Theater ... gemüt-
licher als jetzt, wo ... ich hab' immer so die Empfin-   10
dung, als könnte die Tür aufgehn ...

SCHAUSPIELERIN Die geht nicht von außen auf.

GRAF Schau, ich find', man soll sich nicht leichtsinnig von
vornherein was verderben, was möglicherweise sehr
schön sein könnte.   15

SCHAUSPIELERIN Möglicherweise! ...

GRAF In der Früh, wenn ich die Wahrheit sagen soll, find'
ich die Liebe grässlich.

SCHAUSPIELERIN Nun – du bist wohl das Irrsinnigste, was
mir je vorgekommen ist!   20

GRAF Ich red' ja nicht von beliebigen Frauenzimmern ...
schließlich im Allgemeinen ist's ja egal. Aber Frauen
wie du ... nein, du kannst mich hundertmal einen Nar-
ren heißen. Aber Frauen wie du ... nimmt man nicht
vor dem Frühstück zu sich. Und so ... weißt ... so ...   25

SCHAUSPIELERIN Gott, was bist du süß!

GRAF Siehst du das ein, was ich g'sagt hab', nicht wahr. Ich
stell' mir das so vor –

SCHAUSPIELERIN Nun, wie stellst du dir das vor?

GRAF Ich denk' mir ... ich wart' nach dem Theater auf   30
dich in ein' Wagen, dann fahren wir zusammen also irgendwohin soupieren –

SCHAUSPIELERIN Ich bin nicht das Fräulein Birken.

GRAF Das hab' ich ja nicht gesagt. Ich find' nur, zu allem g'hört Stimmung. Ich komm' immer erst beim Souper in Stimmung. Das ist dann das Schönste, wenn man so vom Souper zusamm' nach Haus fahrt, dann …

5 SCHAUSPIELERIN Was ist dann?

GRAF Also dann … liegt das in der Entwicklung der Dinge.

SCHAUSPIELERIN Setz dich doch näher. Näher.

GRAF *sich aufs Bett setzend* Ich muss schon sagen, aus den Polstern kommt so ein … Reseda ist das – nicht?

10 SCHAUSPIELERIN Es ist sehr heiß hier, findest du nicht?

GRAF *neigt sich und küsst ihren Hals.*

SCHAUSPIELERIN Oh, Herr Graf, das ist ja gegen Ihr Programm.

GRAF Wer sagt denn das? Ich hab' kein Programm.

15 SCHAUSPIELERIN *zieht ihn an sich.*

GRAF Es ist wirklich heiß.

SCHAUSPIELERIN Findest du? Und so dunkel, wie wenn's Abend war' … *Reißt ihn an sich* Es ist Abend … es ist Nacht … Mach die Augen zu, wenn's dir zu licht ist.

20 Komm! … Komm! …

GRAF *wehrt sich nicht mehr.*

— — — — — — — — — — — — — — — — — —

SCHAUSPIELERIN Nun, wie ist das jetzt mit der Stimmung, du Poseur?

GRAF Du bist ein kleiner Teufel.

25 SCHAUSPIELERIN Was ist das für ein Ausdruck?

GRAF Na, also ein Engel.

SCHAUSPIELERIN Und du hättest Schauspieler werden sollen! Wahrhaftig! Du kennst die Frauen! Und weißt du, was ich jetzt tun werde?

30 GRAF Nun?

SCHAUSPIELERIN Ich werde dir sagen, dass ich dich nie wiedersehen will.

GRAF Warum denn?

SCHAUSPIELERIN Nein, nein. Du bist mir zu gefährlich! Du machst ja ein Weib toll. Jetzt stehst du plötzlich vor mir, als wär' nichts geschehn.

GRAF Aber ...

SCHAUSPIELERIN Ich bitte sich zu erinnern, Herr Graf, ich bin soeben Ihre Geliebte gewesen.

GRAF Ich werd's nie vergessen!

SCHAUSPIELERIN Und wie ist das mit heute Abend?

GRAF Wie meinst du das?

SCHAUSPIELERIN Nun – du wolltest mich ja nach dem Theater erwarten?

GRAF Ja, also gut, zum Beispiel übermorgen.

SCHAUSPIELERIN Was heißt das, übermorgen? Es war doch von heute die Rede.

GRAF Das hätte keinen rechten Sinn.

SCHAUSPIELERIN Du Greis!

GRAF Du verstehst mich nicht recht. Ich mein' das mehr, was, wie soll ich mich ausdrücken, was die Seele anbelangt.

SCHAUSPIELERIN Was geht mich deine Seele an?

GRAF Glaub mir, sie gehört mit dazu. Ich halte das für eine falsche Ansicht, dass man das so voneinander trennen kann.

SCHAUSPIELERIN Lass mich mit deiner Philosophie in Frieden. Wenn ich das haben will, lese ich Bücher.

GRAF Aus Büchern lernt man ja doch nie.

SCHAUSPIELERIN Das ist wohl wahr! Drum sollst du mich heut Abend erwarten. Wegen der Seele werden wir uns schon einigen, du Schurke!

GRAF Also wenn du erlaubst, so werde ich mit meinem Wagen ...

SCHAUSPIELERIN Hier in meiner Wohnung wirst du mich erwarten –

GRAF ... Nach dem Theater.

SCHAUSPIELERIN Natürlich.

5 *Er schnallt den Säbel um.*

SCHAUSPIELERIN Was machst du denn da?

GRAF Ich denke, es ist Zeit, dass ich geh'. Für einen Anstandsbesuch bin ich doch eigentlich schon ein bissel lang geblieben.

10 SCHAUSPIELERIN Nun, heut Abend soll es kein Anstandsbesuch werden.

GRAF Glaubst du?

SCHAUSPIELERIN Dafür lass nur mich sorgen. Und jetzt gib mir noch einen Kuss, mein kleiner Philosoph. So, du

15 Verführer, du ... süßes Kind, du Seelenverkäufer, du Iltis ... du ... *Nachdem sie ihn ein paarmal heftig geküsst, stößt sie ihn heftig von sich* Herr Graf, es war mir eine große Ehre!

GRAF Ich küss' die Hand, Fräulein! *Bei der Tür* Auf Wie-

20 derschaun.

SCHAUSPIELERIN Adieu, Steinamanger!

DER GRAF UND DIE DIRNE

Morgen, gegen sechs Uhr. – Ein ärmliches Zimmer; ein-
fenstrig, die gelblich-schmutzigen Rouletten sind herunter-
gelassen. Verschlissene grünliche Vorhänge. Eine Kommode,
auf der ein paar Fotografien stehen und ein auffallend ge- 5
schmackloser, billiger Damenhut liegt. Hinter dem Spiegel
billige japanische Fächer. Auf dem Tisch, der mit einem röt-
lichen Schutztuch überzogen ist, steht eine Petroleumlampe,
die schwach brenzlich brennt; papierener, gelber Lampen-
schirm, daneben ein Krug, in dem ein Rest von Bier ist, und 10
ein halb geleertes Glas. Auf dem Boden neben dem Bett lie-
gen unordentlich Frauenkleider, als wenn sie eben rasch ab-
geworfen worden wären. Im Bett liegt schlafend die Dirne; sie
atmet ruhig. – Auf dem Diwan, völlig angekleidet, liegt der
Graf, im Drapp-Überzieher; der Hut liegt zu Häupten des 15
Diwans auf dem Boden.

GRAF *bewegt sich, reibt die Augen, erhebt sich rasch, bleibt sit-*
    zen, schaut um sich Ja, wie bin ich denn … Ah so … Also
    bin ich richtig mit dem Frauenzimmer nach Haus … *Er*
    steht rasch auf, sieht ihr Bett Da liegt s'ja … Was einem 20
    noch alles in meinem Alter passieren kann. Ich hab'
    keine Idee, haben s' mich da heraufgetragen? Nein …
    ich hab' ja gesehn – ich komm in das Zimmer … ja …
    da bin ich noch wach gewesen oder wach 'worden …
    oder … oder ist vielleicht nur, dass mich das Zimmer 25
    an was erinnert? … Meiner Seel', na ja … gestern hab'
    ich's halt g'sehn … *Sieht auf die Uhr* was! gestern, vor
    ein paar Stunden – Aber ich hab's g'wusst, dass was pas-
    sieren muss … ich hab's g'spürt … wie ich ang'fangen
    hab' zu trinken gestern, hab' ich's g'spürt, dass … Und 30
    was ist denn passiert? … Also nichts … Oder ist was …?

Meiner Seel ... seit ... also seit zehn Jahren ist mir so was nicht vor'kommen, dass ich nicht weiß ... Also kurz und gut, ich war halt b'soffen. Wenn ich nur wüsst', von wann an ... Also, das weiß ich noch ganz genau, wie ich in das Hurenkaffeehaus hinein bin mit dem Lulu und ... nein, nein ... vom Sacher sind wir ja noch weg'gangen ... und dann auf dem Weg ist schon ... Ja richtig, ich bin ja in meinem Wagen gefahren mit'm Lulu ... Was zerbrich ich mir denn viel den Kopf. Ist ja egal. Schaun wir, dass wir weiterkommen. *Steht auf. Die Lampe wackelt* Oh! *Sieht auf die Schlafende* Die hat halt einen g'sunden Schlaf. Ich weiß zwar von gar nix – aber ich werd' ihr 's Geld aufs Nachtkastel legen ... und Servus ... *Er steht vor ihr, sieht sie lange an* Wenn man nicht wüsst', was sie ist! *Betrachtet sie lang* Ich hab' viel 'kennt, die haben nicht einmal im Schlafen so tugendhaft ausg'sehn. Meiner Seel' ... also der Lulu möcht' wieder sagen, ich philosophier', aber es ist wahr, der Schlaf macht auch schon gleich, kommt mir vor; – wie der Herr Bruder, also der Tod ... Hm, ich möcht' nur wissen, ob ... Nein, daran müsst' ich mich ja erinnern ... Nein, nein, ich bin gleich da auf den Diwan herg'fallen ... und nichts is g'schehn ... Es ist unglaublich, wie sich manchmal alle Weiber ähnlich schauen ... Na gehn wir. *Er will gehen* Ja richtig. *Er nimmt die Brieftasche und ist eben daran eine Banknote herauszunehmen.*

DIRNE *wacht auf* Na ... wer ist denn in aller Früh –? *Erkennt ihn* Servus, Bubi!

GRAF Guten Morgen. Hast gut g'schlafen?

DIRNE *reckt sich* Ah, komm her. Pussi geben.

GRAF *beugt sich zu ihr herab, besinnt sich, wieder fort* Ich hab' grad fortgehen wollen ...

DIRNE Fortgehn?

GRAF Es ist wirklich die höchste Zeit.

DIRNE So willst du fortgehn?

GRAF *fast verlegen* So ...

DIRNE Na, Servus; kommst halt ein anderes Mal.

GRAF Ja, grüß' dich Gott. Na, willst nicht das Handerl   5
~~-~~ geben?

DIRNE *gibt die Hand aus der Decke hervor.*

GRAF *nimmt die Hand und küsst sie mechanisch, bemerkt es,
lacht Wie einer Prinzessin. Übrigens, wenn man nur ...

DIRNE Was schaust mich denn so an?   10

GRAF Wenn man das Kopferl sieht, wie jetzt ... beim Auf-
wachen sieht doch eine jede unschuldig aus ... meiner
Seel', alles mögliche könnt' man sich einbilden, wenn's
nicht so nach Petroleum stinken möcht' ...

DIRNE Ja, mit der Lampen ist immer ein G'frett.   15

GRAF Wie alt bist denn eigentlich?

DIRNE Na, was glaubst?

GRAF Vierundzwanzig.

DIRNE Ja freilich.

GRAF Bist schon älter?   20

DIRNE Ins zwanzigste geh' i.

GRAF Und wie lang bist du schon ...

DIRNE Bei dem G'schäft bin i ein Jahr!

GRAF Da hast du aber früh ang'fangen.

DIRNE Besser zu früh als zu spät.   25

GRAF *setzt sich aufs Bett* Sag mir einmal, bist du eigentlich
glücklich?

DIRNE Was?

GRAF Also ich mein', geht's dir gut?

DIRNE Oh, mir geht's alleweil gut.   30

GRAF So ... Sag, ist dir noch nie eing'fallen, dass du was
anderes werden könntest?

DIRNE Was soll i denn werden?

GRAF Also … Du bist doch wirklich ein hübsches Mädel. Du könntest doch z. B. einen Geliebten haben.

DIRNE Meinst vielleicht, ich hab' kein?

GRAF Ja, das weiß ich – ich mein' aber einen, weißt einen, der dich aushalt, dass du nicht mit einem jeden zu gehn brauchst.

DIRNE I geh' auch nicht mit ein' jeden. Gott sei Dank, das hab' i net notwendig, ich such' mir s' schon aus.

GRAF *sieht sich im Zimmer um.*

DIRNE *bemerkt das* Im nächsten Monat ziehn wir in die Stadt, in die Spiegelgasse.

GRAF Wir? Wer denn?

DIRNE Na, die Frau, und die paar anderen Mädeln, die noch da wohnen.

GRAF Da wohnen noch solche –

DIRNE Da daneben … hörst net … das ist die Milli, die auch im Kaffeehaus g'wesen ist.

GRAF Da schnarcht wer.

DIRNE Das ist schon die Milli, die schnarcht jetzt weiter 'n ganzen Tag bis um zehn auf d' Nacht. Dann steht s' auf und geht ins Kaffeehaus.

GRAF Das ist doch ein schauderhaftes Leben.

DIRNE Freilich. Die Frau gift' sich auch genug. Ich bin schon um zwölfe Mittag immer auf der Gassen.

GRAF Was machst denn um zwölf auf der Gassen?

DIRNE Was werd' ich denn machen? Auf den Strich geh' ich halt.

GRAF Ah so … natürlich … *Steht auf, nimmt die Brieftasche heraus, legt ihr eine Banknote auf das Nachtkastel* Adieu!

DIRNE Gehst schon … Servus … Komm bald wieder. *Legt sich auf die Seite.*

GRAF *bleibt wieder stehen* Du, sag einmal, dir ist schon alles egal – was?

DIRNE Was?

GRAF Ich mein', dir macht's gar keine Freud' mehr.

DIRNE *gähnt* Ein' Schlaf hab' ich.

GRAF Dir ist alles eins, ob einer jung ist oder alt, oder ob einer … 5

DIRNE Was fragst denn?

GRAF … Also *Plötzlich auf etwas kommend* meiner Seel', jetzt weiß ich, an wen du mich erinnerst, das ist …

DIRNE Schau i wem gleich?

GRAF Unglaublich, unglaublich, jetzt bitt' ich dich aber 10
sehr, red gar nichts, eine Minute wenigstens … *Schaut sie an* ganz dasselbe G'sicht, ganz dasselbe G'sicht. *Er küsst sie plötzlich auf die Augen.*

DIRNE Na …

GRAF Meiner Seel', es ist schad', dass du … nichts andres 15
bist … Du könnt'st ja dein Glück machen!

DIRNE Du bist grad wie der Franz.

GRAF Wer ist Franz?

DIRNE Na, der Kellner von unserm Kaffeehaus …

GRAF Wieso bin ich grad so wie der Franz? 20

DIRNE Der sagt auch alleweil, ich könnt' mein Glück machen, und ich soll ihn heiraten.

GRAF Warum tust du's nicht?

DIRNE Ich dank' schön … ich möcht' nicht heiraten, nein, um keinen Preis. Später einmal vielleicht. 25

GRAF Die Augen … ganz die Augen … Der Lulu möcht' sicher sagen, ich bin ein Narr – aber ich will dir noch einmal die Augen küssen … so … und jetzt grüß' dich Gott, jetzt geh' ich.

DIRNE Servus. 30

GRAF *bei der Tür* Du … sag … wundert dich das gar nicht …

DIRNE Was denn?

GRAF Dass ich nichts von dir will.

DIRNE Es gibt viel Männer, die in der Früh nicht aufgelegt sind.

GRAF Na ja … *Für sich* Zu dumm, dass ich will, sie soll sich wundern … Also Servus … *Er ist bei der Tür* Eigentlich
5 ärger' ich mich. Ich weiß doch, dass es solchen Frauenzimmern nur aufs Geld ankommt … was sag' ich – solchen … es ist schön … dass sie sich wenigstens nicht verstellt, das sollte einen eher freuen … Du – weißt, ich komm nächstens wieder zu dir.

10 DIRNE *mit geschlossenen Augen* Gut.

GRAF Wann bist du immer zu Haus?

DIRNE Ich bin immer zu Haus. Brauchst nur nach der Leocadia zu fragen.

GRAF Leocadia … Schön – Also grüß' dich Gott. *Bei der*
15 *Tür* Ich hab' doch noch immer den Wein im Kopf. Also das ist doch das Höchste … ich bin bei so einer und hab' nichts getan, als ihr die Augen geküsst, weil sie mich an wen erinnert hat … *Wendet sich zu ihr* Du, Leocadia, passiert dir das öfter, dass man so weggeht von dir?

20 DIRNE Wie denn?

GRAF So wie ich?

DIRNE In der Früh?

GRAF Nein … ob schon manchmal wer bei dir war – und nichts von dir wollen hat?

25 DIRNE Nein, das ist mir noch nie g'schehn.

GRAF Also, was meinst denn? Glaubst, du g'fallst mir nicht?

DIRNE Warum soll ich dir denn nicht g'fallen? Bei der Nacht hab' ich dir schon g'fallen.

30 GRAF Du g'fallst mir auch jetzt.

DIRNE Aber bei der Nacht hab' ich dir besser g'fallen.

GRAF Warum glaubst du das?

DIRNE Na, was fragst denn so dumm?

GRAF Bei der Nacht ... ja, sag, bin ich denn nicht gleich am Diwan hing'fallen?

DIRNE Na freilich ... mit mir zusammen.

GRAF Mit dir?

DIRNE Ja, weißt denn du das nimmer?

GRAF Ich hab' ... wir sind zusammen ... ja ...

DIRNE Aber gleich bist eing'schlafen.

GRAF Gleich bin ich ... So ... Also so war das! ...

DIRNE Ja, Bubi. Du musst aber ein' ordentlichen Rausch g'habt haben, dass dich nimmer erinnerst.

GRAF So ... – Und doch ... es ist eine entfernte Ähnlichkeit ... Servus ... *Lauscht* Was ist denn los?

DIRNE Das Stubenmäd'l ist schon auf. Geh, gib ihr was beim Hinausgehn. Das Tor ist auch offen, ersparst den Hausmeister.

GRAF Ja. *Im Vorzimmer* Also ... Es wär' doch schön gewesen, wenn ich sie nur auf die Augen geküsst hätt'. Das wäre beinahe ein Abenteuer gewesen ... Es war mir halt nicht bestimmt. *Das Stubenmädel steht da, öffnet die Tür* Ah – da haben S' ... Gute Nacht.

STUBENMÄDCHEN Guten Morgen.

GRAF Ja freilich ... guten Morgen ... guten Morgen.